LES CONSERVES

Couverture

- Maquette:
  MICHEL BÉRARD

Maquette intérieure

- Conception graphique:
  ANDRÉ DURANCEAU
- Illustrations:
  LÉO CÔTÉ
- Les photos ont été réalisées grâce à l'aimable collaboration des compagnies suivantes: Dominion Glass Company Limited; Dominion and Grimm Inc.

DISTRIBUTEURS EXCLUSIFS:

- Pour le Canada:
  AGENCE DE DISTRIBUTION POPULAIRE INC.*
  955, rue Amherst, Montréal H2L 3K4 (tél.: 514-523-1182)
  *Filiale de Sogides Ltée
- Pour la France et l'Afrique:
  INTER-FORUM
  13, rue de la Glacière, 75013 Paris (tél.: 570-1180)
- Pour la Belgique, la Suisse, le Portugal, les pays de l'Est:
  S.A. VANDER
  Avenue des Volontaires 321, 1150 Bruxelles (tél.: 02-762-0662)

Soeur Berthe

LES CONSERVES

Préface par

HÉLÈNE DURAND-LA ROCHE

*LES ÉDITIONS DE L'HOMME**

CANADA: 955, rue Amherst, Montréal H2L 3K4

*Division de Sogides Ltée

Bibliothèque nationale du Québec
Dépôt légal — 3e trimestre 1974

ISBN-0-7759-0430-9

Sommaire

Préface

Qui l'eût cru?

Qui donc, il y a dix ans, aurait imaginé pareil attrait, pareil engouement pour les valeurs palpables, authentiques, réelles: le retour à la terre. Personne, même les plus optimistes.

A l'ère des envolées interplanétaires, à l'heure où l'homme marche sur la lune et s'apprête à une poussée plus avant dans le cosmos, voici que la jeunesse instruite, renseignée, éduquée . . . et libérée . . . fait fi des conventions sociales, des progrès de la science et reprend contact avec la nature.

Cette jeunesse ne rit plus du paysan, de l'habitant. Elle l'imite. Elle s'intègre à sa vie. Elle rejette les idoles du modernisme et apprend à mettre ses pas dans les pas des ancêtres.

Elle dédaigne les moquettes des appartements surchauffés, des cages dorées; elle cultive la terre et, quand vient l'heure du repos, elle s'étend sur le sol, à même l'herbe et la terre, le sable chaud ou encore recherche l'ombre à l'orée du sous-bois.

On revient chez soi.

La terre est son bien à soi. Cette mode nouvelle qui redonne son prix aux valeurs négligées ou perdues devient contagieuse.

Les adultes aussi emboîtent le pas, veulent être de la partie.

Jeunes et moins jeunes achètent des fermes ou des lopins de terre en des endroits pas trop éloignés de la ville, près des cours d'eau et, de préférence, là où il y a des arbres fruitiers; ils font des potagers, ce qui leur permet, pendant l'été, tout en se gorgeant d'air pur, de se régaler de bons légumes et de succulents fruits irradiés et vitaminés qui feront la joie et la santé de la famille et le bonheur des amis gourmets.

Des habitudes de vie seront bouleversées.

Des vacances, modifiées.

Mais quel renouveau!

Et voici venir l'automne . . . Comment profiter au-delà de l'instant de ces fruits et légumes qui ont poussé au gré du soleil, de la pluie et du vent? Laisser périr des vivres pendant que des millions d'humains souffrent de la faim, serait inexcusable, alors que les conserves faites à la maison sont inégalables comme saveur, qualité et valeur nutritive.

Les Editions de l'Homme croient répondre à un besoin de l'heure en présentant cet ouvrage sur les conserves alimentaires. Celles-ci n'ont plus de secrets pour Soeur Berthe, qui a mis au point ce volume. D'une façon précise et variée, elle inscrit dans ces pages le fruit d'expériences renouvelées, adaptées aux débutantes comme aux maîtresses de maison averties.

Est-il nécessaire de vous dire toute la joie que j'ai éprouvée à collaborer avec Soeur Berthe?

Des anciens elle connaît les secrets,
des cordons-bleus, les méthodes,
du modernisme, les exigences.

Ce livre indispensable est une sorte de bible de survie — par la nature.

Hélène DURAND-LAROCHE

Introduction

Malgré les cuisinières modernes avec tous leurs gadgets, malgré tous les plats surgelés qu'on trouve sur le marché, la bonne cuisine reste toujours simple. Et les mamans, qui sont les meilleurs chefs de cuisine au monde, n'hésitent jamais à améliorer la façon de nourrir leur famille.

Les conserves faites à la maison ont toujours eu un cachet inestimable qui donnait à la table de nos grands-mères un attrait bien particulier.

Mes élèves veulent redonner à leur mari, à leurs enfants et à leurs amis ce que leurs parents et grands-parents ont connu: le charme indéfinissable d'un pot de confiture ou de légumes mis en conserve à la maison.

C'est pour répondre à ce besoin du «retour à la terre», comme l'explique si bien dans la préface Mme Hélène Durand-Laroche, que je vous présente ce livre sur les conserves.

Qu'il me soit permis de remercier chaleureusement Mme Hélène Durand-Laroche sans qui ce livre n'aurait pu voir le jour. Ses quarantes années d'enseignement de l'art culinaire à travers la province et son amour du «bel ouvrage» en ont fait une collaboratrice idéale.

Puisse ce livre apporter sur la table familiale cette joie de vivre en savourant les confitures de maman.

Soeur BERTHE, c.n.d.

AVERTISSEMENT

Le poison mortel qui cause le botulisme est produit par une bactérie sporifère appelée "*Bacille du botulisme*". Elle survit à l'entreposage de légumes non acides et insuffisamment stérilisés, encore que les contenants soient hermétiques. Il se pourrait qu'il n'y ait pas de signe indiquant la présence de détoriation, alors par précaution, **ne pas goûter aux légumes mis en conserve à domicile avant de les faire bouillir.** Cuire les légumes à gros bouillons, pendant au moins 10 minutes tout en les recouvrant. Ne jamais goûter un aliment en conserve avec une apparence ou une odeur étrange; un aliment qui jaillit ou encore avec formation d'écume; détruire un tel aliment.

Agriculture Canada, *La mise en conserve des fruits et légumes,* Publication 1560, 1975.

Généralités, outillage et marche à suivre de la mise en conserves

Les conserves

On désigne généralement sous ce nom des aliments conservés dans des bocaux de verre ou des boîtes métalliques hermétiquement fermées et stérilisées.

Le procédé «appert» (du nom de l'inventeur Nicolas Appert) est celui que l'on utilise pour la conservation des substances alimentaires appelées conserves.

Cette découverte est un moyen économique de faire, à l'époque de l'abondance, une provision de fruits, de légumes et de viande qui permettra à la maîtresse de maison d'avoir, tout le long de l'année, une armoire bien garnie de conserves et de dire avec orgueil: «C'est moi qui ai fait toutes ces bonnes choses.»

Le but de la mise en conserve consiste tout simplement à garder aux aliments leur fraîcheur, leur goût, leur couleur, en les soustrayant, par la stérilisation, à l'influence d'agents destructeurs dus à la croissance de certains organismes vivants dont quelques-uns ne sont perceptibles qu'à l'aide d'un microscope. Ce sont: les moisissures, les levures, les bactéries et les enzymes.

Ces micro-organismes sont largement distribués; ils se reproduisent dans l'air, dans l'eau, sur les fruits, sur les légumes et en grande abondance dans la terre et la poussière.

Ce chapitre contient de larges extraits de la brochure CONSERVES DE FRUITS ET DE LÉGUMES du ministère de l'Agriculture du Canada. Ces extraits ont été reproduits avec la permission d'Information-Canada.

QUELQUES POINTS IMPORTANTS POUR LA RÉUSSITE DE LA MISE EN CONSERVE

PROCÉDEZ AVEC SOIN

Dès que vous avez décidé de mettre fruits et légumes en conserve, lisez les instructions. Même si vous n'avez jamais fait de conserves, vous pouvez obtenir de bons résultats.

Vous devez soumettre les produits à la chaleur assez longtemps pour détruire les levures, moisissures et bactéries qui pourraient gâter le contenu; ensuite, vous devez utiliser des contenants qui ferment hermétiquement afin d'empêcher les organismes nuisibles de s'y introduire après la stérilisation.

CHOISISSEZ DES FRUITS, DES LÉGUMES ET DE LA VIANDE DE HAUTE QUALITÉ

Assurez-vous que les fruits et les légumes que vous mettez en conserve sont sains, frais et mûris à point, que la viande est bien fraîche.

Les fruits, dont les tomates, doivent être fermes, bien conformés et bien mûrs. S'ils ne sont pas à point, faites-les mûrir afin qu'ils aient leur pleine saveur au moment de les mettre en conserve.

Les légumes doivent être jeunes et tendres. Ils doivent être frais cueillis car ils perdent un peu de leur saveur et de leur valeur même en quelques heures. Choisissez les haricots verts ou jaunes dont les grains ne sont pas pleinement formés dans les gousses; les asperges fermes à pointe compacte; les pois pas trop mûrs et le maïs à grains laiteux et tendres.

VÉRIFIEZ L'OUTILLAGE

L'outillage essentiel nécessaire à la mise en conserve est assez sommaire et la cuisine ordinaire renferme à peu près tout ce qu'il faut. Avant de commencer, assurez-vous que tous les articles sont prêts et en bon état. Vérifiez aussi votre provision de récipients.

OUTILLAGE

CUISEUR SOUS PRESSION

C'est un chaudron ou une marmite en métal épais, à couvercle hermétique, construit pour résister à la pression. Avec cet appareil on peut porter les produits à une température plus élevée que le bain d'eau bouillante, le four ou l'étuve à vapeur. Cette haute température détruit les bactéries nuisibles qui pourraient résister à la température d'ébullition dans les produits non acides. Pour cette raison, on recommande tout particulièrement le cuiseur sous pression pour tous les légumes. On peut s'en servir aussi pour les fruits dont les tomates.

Assurez-vous que le caoutchouc dans le couvercle du cuiseur est net et bien ajusté. Remplacez-le au besoin. N'immergez jamais la manomètre dans l'eau. Si vous vous servez du cuiseur sous pression, suivez attentivement les instructions du manufacturier.

Altitude

Si le cuiseur sous pression est employé, augmentez la pression d'une livre pour chaque 2,000 pieds au-dessus du niveau de la mer.

BAIN D'EAU BOUILLANTE

Il est fortement recommandé de stériliser tous les légumes au cuiseur sous pression. Si on ne peut s'en procurer un, on peut se servir du bain d'eau bouillante, mais on doit prendre la précaution de donner la pleine période de stérilisation.

Tous les légumes stérilisés dans un bain d'eau bouillante doivent bouillir pendant 10 minutes dans une casserole à découvert avant d'être servis ou même d'être goûtés. Tout produit en conserve ayant une mauvaise odeur ou un indice quelconque de décomposition doit être jeté.

On peut se servir d'une grande marmite munie d'un couvercle fermant hermétiquement. On met au fond une claie qui permet à l'eau de circuler sous les bocaux ou les boîtes. Cette claie peut être de fil de fer, de tôle perforée ou de lattes de bois. Il faut que la bouilloire soit assez profonde pour que les contenants soient recouverts de deux pouces [5 cm] d'eau au moins. Si l'eau ne recouvre pas les récipients, les produits ne cuisent pas de façon égale et la partie qui se trouve au-dessus de la ligne d'eau peut se décolorer.

Le bain d'eau bouillante est le stérilisateur le plus généralement employé pour les fruits, dont les tomates et les piments.

SERTISSEUSES

Pour la mise en conserve dans des boîtes de fer-blanc, il existe différents genres de sertisseuses sur le marché. Choisissez une machine garantie qui bouche bien. La sertisseuse doit être bien faite, durable et de fonctionnement facile.

La sertisseuse doit être essayée occasionnellement pour voir si elle scelle hermétiquement. Pour ce faire, placez un peu d'eau froide dans une boîte vide et fermez-la à la sertisseuse. Puis, au moyen d'une paire de pinces, plongez la boîte dans l'eau très chaude, le bout nouvellement fermé tourné vers

le haut et tenez-la immergée pendant une ou deux minutes. Si vous ne voyez aucune bulle d'air sortir du sommet de la boîte, c'est que la fermeture est hermétique et que la sertisseuse fonctionne bien.

PETITS USTENSILES ESSENTIELS

Couteaux tranchants, de préférence inoxydables, passoire, bols, cuillers et tasses graduées, serviettes, assiettes.

PETITS USTENSILES UTILES

Lève-bocal, entonnoir à large col, équeutoir à fraises, chasse-noyau, petite brosse, panier en fil de fer et coton à fromage (linge de toile fine).

BOCAUX DE VERRE

Il y a trois genres principaux de bocaux de verre:

Bocal à cercle vissé—avec couvercle de verre, rondelle de caoutchouc et cercle vissé en métal.

Bocal à pinces—avec couvercle de verre, rondelle de caoutchouc et pinces en métal.

Bocal scellé à vide (vacuum)—avec couvercle de métal, bord enduit d'un composé de caoutchouc et cercle vissé de métal.

GRANDEURS DES BOCAUX DE VERRE

Petits (appelés «chopine»)—capacité d'environ 2 tasses [½ litre].

Moyens (appelés «pinte»)—capacité d'environ 4 tasses [1 litre].

Grands (appelés «demi-gallon»)—capacité d'environ 8 tasses [2 litres].

RONDELLES DE CAOUTCHOUC

Les rondelles de caoutchouc sont disponibles en deux largeurs. Achetez la rondelle de la bonne largeur: la rondelle la plus étroite pour les bocaux à cercle vissé et la plus large seulement pour les bocaux à pinces. Les boîtes de rondelles faites au Canada sont marquées des noms de bocaux auxquels elles sont destinées.

PRÉPAREZ LES BOCAUX DE VERRE

Examinez attentivement chaque partie du bocal. Assurez-vous que le bocal n'est pas fêlé, que le bord du col et le couvercle ne sont pas ébréchés. Remplacez par des cercles de métal neufs ceux qui sont fendus, pliés, élargis ou rouillés. Assurez-vous que les pinces en métal sur le bocal à pinces se mettent en place d'un coup sec. Les couvercles de métal dont les bords intérieurs sont enduits d'un composé de caoutchouc ne doivent pas être utilisés une seconde fois. Lavez les bocaux et les couvercles de verre parfaitement dans de l'eau chaude savonneuse et rincez bien avec de l'eau claire et chaude. Pour empêcher les bocaux de craquer, réchauffez-les au four ou dans de l'eau chaude avant d'y verser des aliments chauds.

Si vous vous servez du four, placez les bocaux vides sur un des grils; recouvrez ceux qui ont des couvercles de verre. Chauffez jusqu'à 200 °F [93.3 °C], en vous servant du feu du bas seulement. Sortez-les du four au fur et à mesure pour les remplir et mettez-les sur un linge sec, du papier ou une claie. Ne réchauffez pas au four les couvercles de métal enduits d'un composé de caoutchouc car vous pourriez les endommager.

Si vous vous servez d'eau chaude, remplissez chaque bocal d'eau et placez-le sur une claie dans une grande marmite ou une bouilloire contenant suffisamment d'eau pour que les bocaux y baignent à moitié. Recouvrez les bocaux à couvercle de verre. Amenez au point d'ébullition et laissez dans l'eau jusqu'au moment de remplir.

Plongez dans l'eau bouillante les rondelles de caoutchouc et les couvercles de métal avant de les placer sur les bocaux.

BOÎTES MÉTALLIQUES

Il se vend trois sortes de boîtes métalliques pour la mise en conserve domestique: la boîte de fer-blanc ordinaire, la boîte émaillée "R" ou régulière et la boîte émaillée "C". **Il est très important d'employer les boîtes tel qu'indiqué ici pour chaque produit afin de conserver à chacun sa couleur et sa saveur.**

Boîte de fer-blanc ordinaire—A usage général, convient bien pour toutes les conserves de fruits et de légumes, sauf les fruits rouges et les betteraves. Ce sont **les seules** à recommander pour **les tomates** et le **jus de tomate.**

Boîte émaillée «R» ou régulière—Avec doublure brillante ou rougeâtre. Pour les petits fruits rouges tels que les baies, les prunes rouges ou bleues, les cerises rouges ou noires, la rhubarbe, les betteraves.

Boîte émaillée «C»—Avec doublure jaune terne pour le maïs seulement. Bien que cette doublure spéciale prévienne la décoloration du maïs, vous pouvez aussi utiliser la boîte de fer-blanc ordinaire pour ce légume.
Couvercles de boîtes—ordinaires, émaillés «R» ou réguliers et émaillés «C». Ils correspondent aux trois types de boîtes métalliques. Le bord intérieur est enduit d'un composé de caoutchouc.

GRANDEURS DES BOÎTES MÉTALLIQUES

28 onces .... environ 3½ tasses [1½ l]
20 onces .... environ 2½ tasses [6 dl]

Les boîtes métalliques «C» sont de 20 onces [6 dl] seulement.

PRÉPARATION DES BOÎTES MÉTALLIQUES

Assurez-vous que le bord de la boîte est lisse et en bon état. N'employez pas des boîtes qui ont des coches trop prononcées.

Lavez les boîtes à fond dans l'eau savonneuse, rincez-les à l'eau bouillante retournez-les pour les égoutter.

Essuyez les couvercles simplement avec un linge propre, légèrement humide.

MARCHE À SUIVRE

TRIAGE

Triez les fruits ou les légumes suivant leur grosseur et leur maturité. En général, les fruits et les tomates doivent être assez mûrs et les légumes pas trop mûrs, mais tous doivent être sains, exempts de meurtrissures et de taches. La partie saine du produit endommagé peut être utilisée ou transformée en confiture ou en jus.

LAVAGE

Les fruits et les légumes doivent être bien lavés. Ne lavez qu'une petite quantité à la fois. Pour enlever le sable, soulevez les fruits et les légumes hors de l'eau plutôt que de la faire égoutter; un panier en fil de fer est excellent pour cela. Les légumes verts doivent être lavés dans plusieurs eaux. Lavez les fraises avant de les équeuter.

BLANCHIMENT

Le blanchiment consiste à laisser les pêches ou les tomates dans de l'eau bouillante, de 15 à 60 secondes, suivant leur maturité et leur variété, puis à les plonger immédiatement dans de l'eau froide. Les pêches et les tomates devraient être retirées de l'eau dès qu'elles sont assez refroidies pour être manipulées. Le blanchiment dégage la peau qui s'enlève alors aisément. Ne blanchissez en une fois que juste assez de fruits pour deux ou trois bocaux. Un panier en fil de fer ou une grande passoire facilite le blanchiment.

ÉPLUCHAGE

Enlevez une couche aussi mince que possible des fruits et des légumes qu'il faut peler ou gratter au couteau.

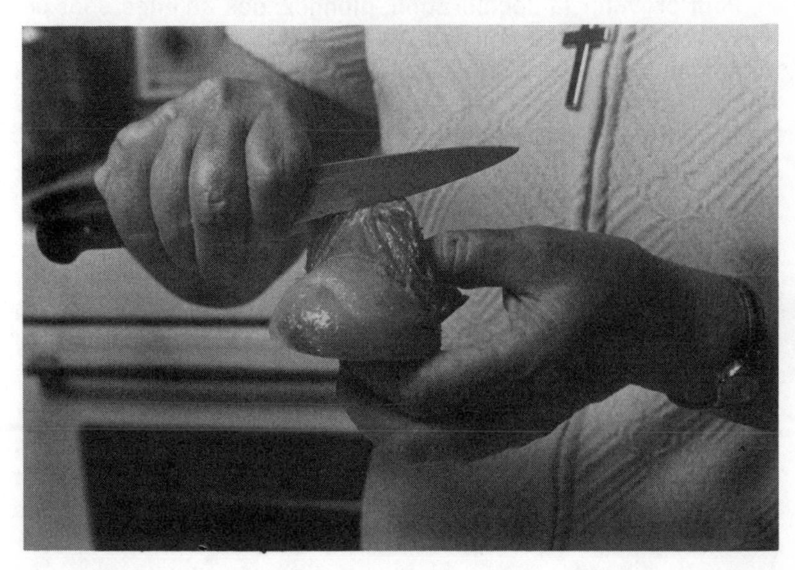

BAIN DE SAUMURE

Pour prévenir la décoloration, plongez, dès qu'elles sont pelées, les pêches, les poires et les pommes dans une saumure faite d'une cuillerée à thé de sel par pinte (5 tasses [1 l] d'eau froide. Mettez-y juste les fruits qui rempliront deux ou trois bocaux afin qu'ils n'aient pas le temps de prendre un goût salé. Renouvelez la saumure dès qu'elle se décolore. Egouttez parfaitement les fruits avant de les mettre en bocal.

PROCÉDÉS

Ls deux procédés le plus souvent employés sont le procédé à chaud et le procédé à froid.

A froid

Le procédé à froid ne s'emploie que pour les fruits, dont les tomates. Remplissez vos récipients du produit cru et froid. Recouvrez complètement de sirop chaud dans le cas des fruits, de jus de tomate chaud dans le cas des tomates.

A chaud

Tous les légumes et les jus doivent être mis en conserve à chaud. La plupart des fruits, dont les tomates, peuvent aussi être mis en conserve par ce procédé. S'il s'agit de légumes, faites-les d'abord cuire partiellement à couvert dans de l'eau. Remplissez les contenants et recouvrez du liquide de cuisson ou d'eau fraîchement bouillie. Ajoutez ½ c. à thé de sel dans chaque bocal d'une chopine [environ ½ l] ou boîte de 20 onces [6 dl] et 1 c. à thé dans chaque bocal d'une pinte [environ 1 l] ou boîte de 28 onces [1½ l].

S'il s'agit de fruits, faites-les mijoter quelque temps avec le sirop dans une grande marmite, puis versez-les chauds dans

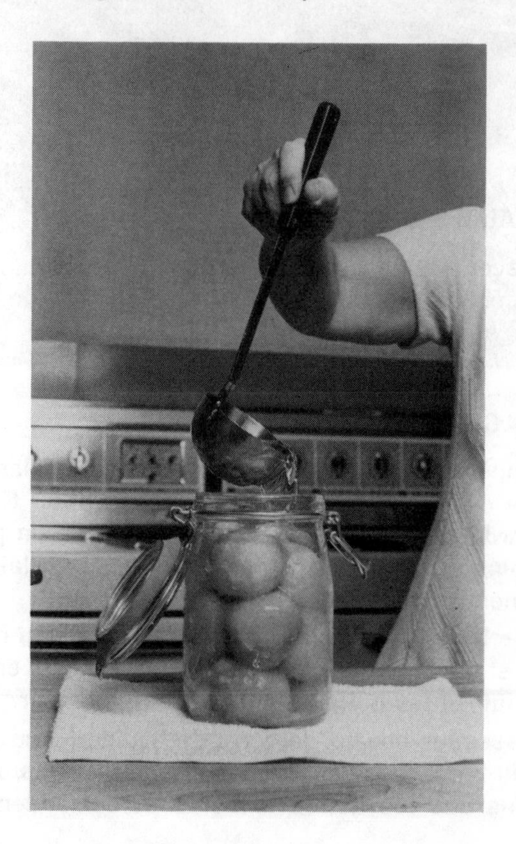

les récipients en les recouvrant de sirop chaud, y ajoutant d'autre sirop si c'est nécessaire. Ne taites mijoter à la fois que suffisamment de fruits pour trois ou quatre récipients, autrement les fruits cuiraient inégalement. Les tomates et les jus doivent simplement être amenés au point d'ébullition et versés chauds dans les récipients. Dans le cas des tomates, salez.

REMPLISSAGE

Pour empêcher les bocaux chauds et vides d'éclater, placez-les sur une claie, un linge sec ou du papier plié. **Remplissez-les sans tarder** de fruits ou de légumes jusqu'à un pouce [2,5 cm] au moins du bord, puis ajoutez le liquide en laissant l'espace libre nécessaire.

L'espace libre, ou espace, de tête est le vide qui reste entre le liquide et le bord du contenant. Cet espace empêche le liquide de fuir et les boîtes de fer-blanc de bomber.

Remplissez les bocaux de verre de liquide jusqu'à ½ pouce [1,2 cm] du bord, sauf dans le cas du maïs et des pois qui se dilatent plus que les autres aliments et demandent 1 pouce

[2,5 cm] d'espace de tête.

Remplissez les boîtes de fer-blanc en laissant ½ pouce [1,2 cm] pour le maïs et les pois et ¼ pouce [½ cm] pour les autres légumes.

Après le remplissage, faites sortir les bulles d'air soit en promenant la lame d'un couteau de haut en bas à l'intérieur du récipient, soit, dans le cas de gros fruits, en inclinant les récipients de côté et d'autre pour permettre au liquide de remplir tout l'espace et aux bulles d'air de s'échapper. **Ne remplissez pas plus de récipients à la fois que votre bain d'eau bouillante n'en peut contenir.**

FERMETURE DES RÉCIPIENTS

Une fois les récipients remplis, assurez-vous qu'aucune particule d'aliment n'adhère au rebord et bouchez de la façon suivante:

Bocaux à cercle vissé — Ajustez la rondelle de caoutchouc mouillée sur le couvercle ou sur le bocal en vous assurant qu'elle est à plat, puis mettez le couvercle en place. Bouchez partiellement en vissant serré le cercle de métal, puis dévissez un peu, pas plus d'un pouce [1,2 cm].

Bocaux à pinces — Ajustez la rondelle de caoutchouc mouillée en vous assurant qu'elle est bien à plat, puis mettez le couvercle en place. Bouchez partiellement en poussant la pince la plus longue dans la rainure du couvercle mais ne rabattez pas la plus courte.

Bocaux scellés à vide (vacuum) — Plongez le couvercle dans l'eau bouillante, mettez-le en place, puis vissez le cercle de métal aussi serré que possible.

Boîtes de fer-blanc — Placez le couvercle sur le dessus de la boîte, puis bouchez avec la sertisseuse en suivant les instructions du fabricant.

STÉRILISATION

La stérilisation consiste à cuire les aliments dans les récipients afin de les conserver en vue de leur utilisation subséquente. Chaque particule du produit doit être amenée à une température suffisamment haute pendant un temps assez long pour détruire les bactéries, levures ou moisissures qui pourraient gâter le contenu.

Tenez le stérilisateur prêt afin que les récipients puissent y être déposés tout de suite après la fermeture. **Stérilisez immédiatement et pendant toute la durée recommandée selon le produit.**

AU CUISEUR SOUS PRESSION

1. Versez suffisamment d'eau dans le cuiseur: s'il doit être rempli à capacité, une épaisseur de 2 pouces d'eau est nécessaire, avant l'immersion des bocaux; s'il ne doit pas être rempli à capacité, 2 tasses supplémentaires d'eau doivent être ajoutées pour chaque bocal omis. Cette eau empêche le liquide d'être soutiré des bocaux.
2. Placez les récipients remplis sur le support dans le cuiseur à un pouce environ d'écartement. Les boîtes de fer-blanc peuvent être empilées si elles sont disposées de façon à permettre une bonne circulation de vapeur tout autour, par-dessus et par-dessous.
3. Ajustez le couvercle du cuiseur et fermez-le bien. Ouvrez le robinet et laissez-le ouvert jusqu'à ce que la vapeur s'échappe, alors que vous entendez un sifflement bien distinct. Cela prend de 5 à 10 minutes.
4. Fermez le robinet et laissez la pression s'élever lentement jusqu'à ce que l'indicateur enregistre la pression requise. Commencez à compter le temps de la stérilisation à partir de ce moment. Réglez la chaleur pour conserver une pression uniforme car si la pression varie il sortira du liquide des récipients.
5. Stérilisez pendant le temps requis.
6. La stérilisation terminée, enlevez le cuiseur du feu et placez-le sur un treillis ou une planche. Laissez tomber la pression d'elle-même graduellement à zéro. Un re-

froidissement spontané peut causer une fuite de liquide des récipients.

7. Lorsque l'indicateur est à zéro, laissez reposer une à deux minutes, ensuite ouvrez lentement le robinet et laissez refroidir pendant 2 à 3 minutes avant d'enlever le couvercle.
8. Enlevez le couvercle de façon que la vapeur ne soit pas dirigée directement sur le visage. Couvrez immédiatement le cuiseur ouvert avec un linge et laissez reposer 1 ou 2 minutes.
9. Découvrez.
10. **Conserves en bocaux de verre:** ne les sortez pas du cuiseur avant que l'ébullition ne cesse dans les bocaux.
11. **Conserves en boîtes de fer-blanc:** ouvrez le robinet du cuiseur dès que l'indicateur enregistre zéro; enlevez les boîtes immédiatement et refroidissez.

A L'EAU BOUILLANTE

Comptez le temps de stérilisation à partir du moment où l'eau du bain d'eau bouillante bout vigoureusement.

1. Placez la bouilloire employée pour la stérilisation à moitié remplie d'eau sur le poêle. Afin d'empêcher les bocaux d'éclater, amenez l'eau à la température voisine de celle des bocaux remplis. Placez les bocaux remplis sur la claie à 1 pouce [2,5 cm] l'un de l'autre. Vous pouvez empiler les boîtes, pourvu que vous laissiez suffisamment d'espace pour que l'eau circule tout autour, pardessus et par-dessous.
2. Ajoutez de l'eau bouillante pour couvrir d'au moins deux pouces [5 cm] tous les bocaux et boîtes. Ne versez pas l'eau bouillante directement sur les bocaux car ils pourraient éclater.
3. Recouvrez la bouilloire de son couvercle. Amenez l'eau au point d'ébullition; commencez à compter la durée de stérilisation à partir du moment où l'eau bout vigoureu-

sement et non lorsque les premières bulles sortent. L'eau doit bouillir à gros bouillons pendant **toute** la durée de la stérilisation indiquée. Ajoutez de l'eau bouillante si cela est nécessaire pour maintenir à 2 pouces [5 cm] la couche d'eau qui recouvre les bocaux. Stérilisez pendant le temps requis pour les fruits et pour les légumes. Sortez immédiatement les bocaux ou les boîtes du bain d'eau bouillante pour prévenir l'excès de cuisson.

SCELLAGE DES BOCAUX

1. Une fois les bocaux de verre sortis du stérilisateur, posez-les sur une claie, un linge sec replié ou des journaux. N'exposez pas les bocaux chauds aux courants d'air et ne les mettez pas sur des surfaces de métal ou de porcelaine car ils pourraient se fendre.
2. Dès que le bouillonnement a cessé dans les bocaux, scellez en suivant les directives ci-dessous:

   Bocaux à cercle vissé: Serrez le cercle de métal sans toutefois étirer la bande de caoutchouc au point de la déformer.

   Bocaux à pinces: Rabattez en position la pince la plus courte.

   Bocaux scellés à vide (vacuum): Ne resserrez pas puisque l'herméticité se fait à mesure que le bocal refroidit. Tout resserrement pourrait détruire le scellage. Ne pas renverser un bocal vacuum.

N'ouvrez jamais un bocal après la stérilisation. Parfois le contenu d'un bocal se tasse pendant la stérilisation et un espace se forme au sommet. Cet espace ne nuira pas à la qualité du produit. En ouvrant le bocal pour combler le vide, vous exposeriez le contenu aux organismes qui pourraient le gâter.

REFROIDISSEMENT DES CONSERVES

BOCAUX DE VERRE

1. Laissez les bocaux debout pendant le refroidissement. Ne les renversez pas, de peur de détruire l'herméticité.

2. Laissez refroidir à l'abri des courants d'air et sans les recouvrir. Un courant d'air froid pourrait les faire éclater; les couvrir retarderait le refroidissement.
3. Ne serrez ou n'enlevez jamais le cercle après qu'un bocal à couvercle vissé ait refroidi. La fermeture pourrait se rompre.

BOÎTES DE FER-BLANC

Placez les boîtes de fer-blanc dans l'eau froide immédiatement à leur sortie du stérilisateur. Gardez l'eau froide en la changeant ou en plaçant les boîtes sous l'eau courante et en les retournant délicatement afin que le centre ait la chance de refroidir. Laissez les boîtes dans l'eau jusqu'à complet refroidissement.

ÉPREUVE DE L'HERMÉTICITÉ DE LA FERMETURE

Bocaux à cercle vissé et à pinces — Après le refroidissement, renversez chaque bocal pendant une minute ou deux pour voir s'il n'y a pas de fuites.

Bocaux scellés à vide (vacuum) — Après le refroidissement, tapotez doucement le couvercle avec une cuiller. Si le métal rend un son clair et si le couvercle est un peu rentré vers l'intérieur, les bocaux sont bien bouchés. Il n'est pas nécessaire de renverser un bocal vacuum.

Si un bocal coule, utilisez le contenu immédiatement. Stériliser à nouveau n'est pas à conseiller car le produit serait trop cuit.

ÉTIQUETAGE ET EMMAGASINAGE DES CONSERVES

1. Avant d'emmagasiner les conserves, essuyez les contenants avec un linge humide, puis asséchez-les parfaitement.
2. Etiquetez les bocaux de verre au moyen d'un crayon de cire ou d'un papier gommé si vous le voulez, mais ne manquez pes d'étiqueter les boîtes de fer-blanc. Utilisez un crayon de cire ou entourez la boîte d'un bout de papier que vous fixerez avec un collant. Vous pouvez aussi marquer la boîte au moyen d'un bâtonnet pointu trempé

dans une solution de vitriol bleu (sulfate de cuivre). Vous pouvez faire préparer une solution par un pharmacien, à 10 p. 100 de sulfate de cuivre, 10 p. 100 d'acide et 80 p. 100 d'eau.

3. Après une semaine, examinez chaque conserve. Si les boîtes coulent ou sont bombées, c'est un signe de décomposition.
4. Remisez les bocaux dans un endroit frais, sombre et sec. La chaleur et la lumière altèrent la couleur et, jusqu'à un certain point, la saveur des aliments. L'entrepôt devra donc être frais sans toutefois être froid à geler. Si l'endroit est trop éclairé, enveloppez les bocaux séparément avec du papier-journal ou placez-les dans des boîtes.

La congélation peut changer l'apparence et la texture des conserves de fruits et de légumes mais ces conserves gelées, une fois décongelées dans les contenants, peuvent être consommées sans danger tant qu'il n'y a pas de signe de fuite ou de décomposition.

Si les boîtes de fer-blanc sont placées dans un endroit humide, l'extérieur des boîtes peut rouiller. Il n'y a aucun danger, cependant, à utiliser le produit des boîtes rouillées pourvu qu'il n'y ait pas de signe de fuite.

Dès qu'un bocal est vide, lavez-le et **asséchez-le parfaitement.** Remisez-le pour vous en servir plus tard.

EMPLOI DE PRODUITS CHIMIQUES ET DE COMPOSÉS COMMERCIAUX

L'emploi de contenants bouchant hermétiquement et une stérilisation complète sont les deux principaux facteurs de conservation. L'acide ascorbique peut parfois être utilisé pour prévenir la décoloration des fruits à couleur pâle. On interdit l'emploi d'ingrédients chimiques comme l'acide borique, l'acide salicylique et la saccharine dans les conserves commerciales car ils peuvent être nuisibles. Quant aux compositions de soufre, l'emploi commercial en est restreint.

Les Bouillons, les consommés, les potages et les soupes

Voir pages 15 à 37 pour la marche à suivre de la mise en conserve.

BOUILLON DE BOEUF

INGRÉDIENTS:

8 lb [3 kg 500] **de boeuf (flanc, cou et os)**
8 pintes [9 litres] **d'eau froide**
1 bouquet garni **(voir page** 42**)**
2 c. à table [2 c. à soupe] **de gros sel**

PRÉPARATION:

1. Essuyez la viande.
2. Coupez en gros morceaux.
3. Déposez dans une grande marmite.
4. Ajoutez l'eau froide, le bouquet garni et le sel.
5. Portez doucement à ébullition.
6. Ecumez au fur et à mesure que l'albumine monte à la surface (on aura de cette façon un bouillon limpide).
7. Faites mijoter 3 heures.
8. Coulez le bouillon.
9. Refroidissez.
10. Dégraissez.
11. Clarifiez (facultatif).

Utilisez la viande, une seconde fois, pour faire du bouillon pour la famille.

BOUILLON DE POULET

INGRÉDIENTS:

6 poulets
12 pintes [13,5 litres] **d'eau**
1 bouquet garni
(voir page 42**)**
¼ de tasse [28 grammes]
de gros sel

PRÉPARATION:

1. Nettoyez les poulets.
2. Enlevez les filets.
3. Mettez les ailes, les pattes, les abats et les carcasses dans une grande marmite.
4. Ajoutez l'eau froide, le bouquet garni et le sel.
5. Amenez doucement à ébullition.
6. Ecumez.
7. Faites mijoter 3 heures.
8. Déposez les poitrines de poulet dans un panier métallique ou dans un coton à fromage.
9. Faites cuire 20 minutes dans le bouillon. Mettez de côté.
10. Coulez le liquide. Remplissez jusqu'à ¼ de pouce [½ *centimètre*] du bord des bocaux ou des boîtes de fer-blanc.
11. Fermez les récipients.
12. Stérilisez 90 minutes dans un bain d'eau bouillante ou 30 minutes sous 10 livres de pression.

BOUILLON DE TOMATES

INGRÉDIENTS:

- **3 pintes** [2 kg] **de tomates coupées en morceaux**
- **4 tasses** [1 litre] **d'eau**
- **4 tasses** [1 litre] **de bouillon de poulet**
- **1 gros oignon émincé**
- **1 tasse** [1 tasse à thé] **de feuilles de céleri**
- **1 c. à table** [1 c. à soupe] **de gros sel**
- **½ c. à thé** [½ c. à café] **de poivre**

PRÉPARATION:

1. Lavez les tomates, blanchissez-les 2 minutes, rafraîchissez-les et coupez-les en morceaux.
2. Ajoutez l'eau, le bouillon et tous les autres ingrédients.
3. Faites bouillir 30 minutes.
4. Passez au tamis et puis au «blender».
5. Remplissez de ce bouillon les bocaux ou les boîtes stérilisés en laissant un espace libre de ½ pouce [*1 centimètre*] en haut du bocal.
6. Fermez.
7. Stérilisez dans un bain d'eau bouillante 30 minutes ou 10 minutes sous 10 livres de pression.
8. Refroidissez.

Servez chaud ou froid avec des tranches de citron.

CONCENTRÉ AROMATISÉ AUX TOMATES

INGRÉDIENTS:

3 douzaines de tomates mûres
4 tasses d'eau (1 litre)
4 oignons
2 branches de céleri
2 piments verts
2 c. à table [2 c. à soupe] **de gros sel**
¼ de tasse [60 grammes] de **de sucre**
10 grains de poivre
1 feuille de laurier
10 clous de girofle
½ c. à thé [½ c. à café] **d'origan**

PRÉPARATION:

1. Déposez les tomates, par petites quantités à la fois, dans un panier métallique émaillé.
2. Blanchissez 15 à 60 secondes dans de l'eau bouillante.
3. Plongez-les immédiatement dans de l'eau froide.
4. Enlevez la pelure et les parties vertes.
5. Ajoutez l'eau, les autres légumes coupés en morceaux, le sel, le sucre, puis les grains de poivre, la feuille de laurier, les clous de girofle et l'origan enveloppés dans un coton à fromage.
6. Faites bouillir 30 minutes.
7. Enlevez les épices.
8. Passez à travers un tamis puis dans le «blender».
9. Remplissez les récipients jusqu'à ¼ de pouce [½ *centimètre*] du bord.
10. Fermez.
11. Stérilisez 30 minutes dans un bain d'eau bouillante ou 10 minutes sous 10 livres de pression.

Ce concentré est surtout utilisé pour faire le potage aux tomates.

CONSOMMÉ

INGRÉDIENTS:

3 lb [1 kg 500] **de boeuf coupé en cubes**
3 lb [1 kg 500] **de jarret de veau coupé en morceaux**
2 lb [1 kilo] **d'abats de volaille: cous, ailes, coeurs et foies**
8 pintes [9 litres] **d'eau froide**
1 bouquet garni
(voir page 42**)**
2 c. à table [2 c. à soupe]
de gros sel

PRÉPARATION:

1. Essuyez les viandes.
2. Faites brunir le boeuf dans un peu de gra
3. Ajoutez le jarret de veau, les abats de volaille, l'eau froide, le bouquet garni et le sel.
4. Opérez ensuite comme pour le bouillon de boeuf.
5. Ajoutez, après la clarification, du «caramel brûlé» pour donner la couleur classique au consommé.
6. Versez dans des récipients stérilisés.
7. Faites stériliser le consommé 90 minutes dans un bain d'eau bouillante ou 30 minutes sous 10 livres de pression.

Pour servir: diluez avec la même quantité d'eau. Chauffez. Vérifiez l'assaisonnement.

Le consommé est un bouillon fait de 3 variétés de viande; il faut faire réduire de moitié la quantité de liquide.

BOUQUET GARNI

INGRÉDIENTS:

2 branches de céleri
2 carottes
2 oignons piqués de 4 clous de girofle
2 tiges de persil
1 feuille de laurier
3 grains de poivre
4 brins de thym
1 gousse d'ail (facultatif)

Le bouquet garni donne un goût exquis aux bouillons, soupes et potages; il est employé couramment par toute bonne maîtresse de maison.

SUCRE BRÛLÉ (Caramel)

INGRÉDIENTS:

1 tasse [200 grammes] **de sucre granulé**
1 tasse [1/4 de litre] **d'eau chaude**

PRÉPARATION:

1. Faites brûler le sucre dans une poêle en fonte.
2. Ajoutez l'eau chaude.
3. Faites bouillir jusqu'à ce que le sucre soit dissous.

Gardez ce qui reste dans un bocal de verre fermant bien pour vous en servir au besoin.

CONSOMMÉ AU VERMICELLE

INGRÉDIENTS:

2 bocaux ou boîtes de consommé
½ **tasse** [25 grammes] de **vermicelle fin (cheveux d'ange)**

PRÉPARATION:

1. Versez le consommé dans une casserole émaillée.
2. Portez à ébullition.
3. Vérifiez l'assaisonnement.
4. Ajoutez le vermicelle fin.
5. Laissez mijoter 8 minutes.

Servez dans des tasses à bouillon.

CONSOMMÉ AU SHERRY

INGRÉDIENTS:

2 bocaux ou 2 boîtes de consommé
1 tasse [¼ de litre] **de sherry**

PRÉPARATION:

1. Versez le consommé dans une casserole en fonte émaillée.
2. Faites bouillir 2 minutes.
3. Ajoutez le sherry.
4. Chauffez sans faire bouillir.

Servez dans des tasses à bouillon.

CONSOMMÉ EN TASSE

INGRÉDIENTS:

2 bocaux ou 2 boîtes de consommé
1 c. à table [1 c. à soupe] **de persil haché**

PRÉPARATION:

1. Ouvrez les contenants de consommé.
2. Versez-les dans une casserole émaillée.
3. Faites bouillir 2 minutes.

Servez dans des tasses à bouillon. Saupoudrez de persil haché.

POTAGE À LA CITROUILLE

INGRÉDIENTS:

½ tasse [25 grammes] **de beurre ou autre matière grasse**
2 gros oignons émincés
3 pintes [3,5 litres] **d'eau**
3 pintes [900 grammes] **de citrouille coupée en cubes**
2 c. à table [30 grammes] **de sucre**
8 tomates fraîches coupées en morceaux
2 c. à table [2 c. à soupe] **de gros sel**
½ c. à thé [½ c. à café] **de thym**

PRÉPARATION:

1. Chauffez la matière grasse, faites revenir les oignons sans faire brunir.
2. Ajoutez l'eau, la citrouille, les tomates, le sucre, le sel et le thym.
3. Faites bouillir 30 minutes.
4. Passez à travers un tamis ou mieux au «blender».
5. Versez cette purée dans les contenants.
6. Faites stériliser 90 minutes dans un bain d'eau bouillante ou 25 minutes sous 10 livres de pression.

Pour servir: chauffez dans une casserole émaillée le contenu d'un récipient de purée de citrouille. Ajoutez en brassant 3 tasses [¾ *de litre*] *de lait chaud.*

CLARIFICATION DU BOUILLON

INGRÉDIENTS:

- **7 pintes** [8 litres] **de bouillon**
- **4 blancs d'oeufs**
- **4 coquilles d'oeufs**
- **½ tasse** [1 décilitre] **d'eau froide**

PRÉPARATION:

1. Mettez le bouillon dégraissé dans une casserole.
2. Vérifiez l'assaisonnement avant et non après la clarification.
3. Ajoutez les blancs d'oeuf battus avec l'eau froide, ainsi que les coquilles écrasées, brassez.
4. Amenez le liquide à ébullition.
5. Couvrez.
6. Laissez mijoter 15 minutes.
7. Passez à travers un tamis fin recouvert d'une double épaisseur de coton à fromage.
8. Versez ce bouillon dans des bocaux de verre de 16 onces [*½ litre*] ou dans des boîtes en fer-blanc de 20 onces [*6 décilitres*]
9. Faites stériliser 90 minutes, dans un bain d'eau bouillante ou 25 minutes sous 10 livres de pression.

Refroidissez les boîtes en fer-blanc dans l'eau froide; les bocaux de verre sont retirés, fermés hermétiquement; déposez-les sur une table recouverte d'un linge sec, à l'abri des courants d'air.

POTAGE AUX CAROTTES (Crécy)

INGRÉDIENTS:

3 c. à table [45 grammes] **de beurre ou autre matière grasse**
2 oignons émincés
3 c. à table [27 grammes] **de farine**
4 pintes [4,5 litres] **de bouillon de poulet ou de boeuf**
3 pintes [900 grammes] **de carottes coupées en cubes**
1 c. à table [15 grammes] **de sucre**
2 c. à table [2 c. à soupe] **de gros sel**

PRÉPARATION:

1. Chauffez la matière grasse dans une casserole épaisse, faites revenir les oignons émincés sans faire brunir.
2. Ajoutez la farine en brassant puis le bouillon, le sucre, le sel et les carottes coupées en cubes.
3. Faites mijoter 30 minutes.
4. Passez à travers un tamis ou au «blender».
5. Versez cette purée dans les contenants jusqu'à ½ pouce [*1 centimètre*] du bord.
6. Faites stériliser **90** minutes dans un bain d'eau bouillante ou **20** minutes sous 10 livres de pression.

Pour servir: chauffez dans une marmite le contenu de 2 contenants de purée aux carottes, ajoutez en brassant 3 tasses [¾ de litre] de lait et ½ tasse [⅛ de litre] de crème à 15%. Portez à ébullition.

POTAGE AU CÉLERI

INGRÉDIENTS:

2 oignons émincés
3 tasses [400 grammes] **de céleri coupé en dés**
4 tasses [1 litre] **de bouillon de poulet**
¼ de tasse [50 grammes] **de tapioca à cuisson rapide**
2 c. à thé [2 c. à café] **de sel**
3 c. à table [45 grammes] **de beurre**

PRÉPARATION:

1. Chauffez le bouillon de poulet.
2. Ajoutez les oignons et le céleri.
3. Faites mijoter 20 minutes.
4. Retirez du feu.
5. Ajoutez le tapioca en pluie et laisser reposer 10 minutes.
6. Ramenez à ébullition et faites mijoter quelques minutes.
7. Ajoutez le beurre.
8. Brassez pour faire fondre.
9. Remplissez les contenants stérilisés jusqu'à 1 pouce [2½ *centimètres*] du bord.
10. Stérilisez pendant 120 minutes dans un bain d'eau bouillante ou 40 minutes sous 10 livres de pression.
11. Retirez.
12. Refroidissez.

Pour servir: chauffez au point d'ébullition avec une égale quantité de lait. Vous pouvez doubler ou tripler les quantités d'ingrédients données dans cette recette.

POTAGE AU CHOU-FLEUR

INGRÉDIENTS:

4 tasses [400 grammes] **de chou-fleur haché**
4 oignons émincés
4 tasses [1 litre] **d'eau bouillante**
2 c. à thé [2 c. à café] **de sel**
¼ de tasse [60 grammes] **de beurre**
¼ de tasse [36 grammes] **de farine tout usage**

PRÉPARATION:

1. Faites cuire le chou-fleur et les oignons pendant 10 minutes dans l'eau bouillante salée.
2. Faites fondre le beurre.
3. Ajoutez la farine, faites cuire.
3. Ajoutez, par petites quantités, en brassant, les légumes et l'eau de cuisson.
4. Faites cuire en remuant avec une cuillère de bois jusqu'à ce que la préparation épaississe et commence à bouillir.
5. Retirez du feu.
6. Remplissez les contenants stérilisés jusqu'à 1 pouce [2½ *centimètres*] du bord.
7. Stérilisez pendant 90 minutes dans un bain d'eau bouillante ou 25 minutes sous 10 livres de pression.
8. Retirez.
9. Refroidissez.

Pour servir: chauffez au point d'ébullition avec une même quantité de lait.

POTAGE AU POISSON

INGRÉDIENTS:

- **2 oignons émincés**
- **2 carottes coupées en cubes**
- **1 tasse** [150 grammes] **de céleri coupé en dés**
- **2 tasses** [½ litre] **d'eau bouillante**
- **2 c. à thé** [2 c. à café] **de sel**
- **⅛ c. à thé** [⅛ c. à café] **de poivre**
- **1 lb** [500 grammes] **de poisson à chair blanche (au choix)**

PRÉPARATION:

1. Faites revenir les légumes dans le beurre pendant 5 minutes.
2. Ajoutez l'eau bouillante, le sel et le poivre.
3. Faites cuire, à couvert, pendant 25 minutes.
4. Coupez le poisson en morceaux.
5. Enlevez les arêtes.
6. Ajoutez à la préparation bouillante.
7. Chauffez de nouveau jusqu'au point d'ébullition.
8. Retirez du feu.
9. Remplissez les contenants jusqu'à ½ pouce [*1 centimètre*] du bord.
10. Stérilisez 180 minutes dans un bain d'eau bouillante ou 40 minutes sous 10 livres de pression.
11. Retirez.
12. Refroidissez.

Pour servir: chauffez jusqu'au point d'ébullition avec une même quantité de lait. Saupoudrez de persil. On peut doubler ou tripler les ingrédients de ce potage.

POTAGE AUX TOMATES

INGRÉDIENTS:

1 bocal ou 1 boîte de concentré aux tomates
3 c. à table [45 grammes] **de beurre**
3 c. à table [27 grammes] **de farine**
6 tasses [1 litre ½] **de lait**
sel et poivre

PRÉPARATION:

1. Ouvrez un contenant de concentré aux tomates.
2. Versez dans une cocotte en fonte émaillée.
3. Faites bouillir 3 minutes.
4. Chauffez le beurre.
5. Ajoutez la farine en brassant, cuire sans faire brunir.
6. Ajoutez le lait.
7. Amenez à ébullition, laissez mijoter quelques minutes en brassant.
8. Incorporez le concentré aux tomates.
9. Vérifiez l'assaisonnement.
10. Tenez au chaud jusqu'au moment de servir.

SOUPE AU BROCOLI À L'ITALIENNE

INGRÉDIENTS:

1 bocal de bouillon de boeuf
2 tasses [½ litre] **d'eau bouillante**
2 tiges, avec bouquets, de brocoli

PRÉPARATION:

1. Versez le bouillon dans une marmite avec l'eau bouillante.
3. Faites mijoter 3 minutes.
4. Vérifiez l'assaisonnement.
5. Ajoutez les têtes et les tiges de brocoli, taillées en longs filets très minces.
6. Faites bouillir 15 minutes à feu vif.

POTAGE BRETON AUX HARICOTS BLANCS

INGRÉDIENTS:

2 lb [900 grammes] **de haricots blancs**
2 c. à table [2 c. à soupe] **de gros sel**
2 oignons
2 poireaux
3 pintes [3,5 litres] **de bouillon de boeuf**

PRÉPARATION:

1. Lavez les haricots, faites-les tremper toute la nuit dans l'eau froide.
2. Le lendemain cuisez-les 1 heure dans l'eau de trempage avec les oignons et les poireaux.
3. Ajoutez le bouillon et le sel. Passez ce potage au «blender», il sera plus digeste.
4. Remplissez jusqu'à 1 pouce [*2½ centimètres*] du bord, les bocaux de verre ou les boîtes de fer-blanc.
5. Fermez.
6. Stérilisez 120 minutes dans un bain d'eau bouillante ou 30 minutes sous 10 livres de pression.

Pour servir: ajoutez la même quantité de lait chaud que de purée. Vérifiez l'assaisonnement, amenez au point d'ébullition. Saupoudrez de persil haché.

SOUPE À L'OIGNON

INGRÉDIENTS:

½ **tasse** [125 grammes] **de beurre**
3 **c. à table** [3 c. à soupe] **d'huile végétale**
2 **lb** [1 kg] **d'oignons**
1 **c. à table** [15 grammes] **de sucre**
⅓ **de tasse** [50 grammes] **de farine**
3 **pintes** [3,5 litres] **de bouillon de poulet**

PRÉPARATION:

1. Chauffez le beurre et l'huile dans une casserole.
2. Ajoutez les oignons émincés.
3. Saupoudrez de sucre.
4. Faites dorer en brassant constamment (en évitant de laisser brûler, ce qui donne un goût âcre à la soupe).
5. Ajoutez la farine en remuant, puis le bouillon de poulet.
6. Laissez mijoter 10 minutes.
7. Versez la soupe dans des bocaux de verre ou des boîtes en fer-blanc.
8. Faites stériliser 90 minutes, sans interruption, dans un bain d'eau bouillante ou 30 minutes sous 10 livres de pression.
9. Refroidissez.

Pour servir: ajoutez la même quantité d'eau. Faites bouillir 3 minutes. Servez tel quel, ou versez la soupe dans un bol en terre cuite contenant une tranche de pain rôti au four. Saupoudrez généreusement de fromage gruyère. Dorez au four sous la flamme.

SOUPE À L'ORGE

INGRÉDIENTS:

2 tasses [300 grammes] **d'orge**
8 tasses [2 litres] **d'eau tiède**
3 pintes [3,5 litres] **de bouillon de boeuf**

PRÉPARATION:

1. Déposez l'orge dans une casserole épaisse.
2. Ajoutez l'eau tiède.
3. Laissez tremper 1 heure.
4. Faites mijoter pendant 10 minutes.
5. Egouttez.
6. Ajoutez le bouillon de boeuf. Faites mijoter 15 minutes.
7. Ajoutez ½ tasse [*⅛ de litre*] d'eau froide pendant l'ébullition.
8. Ecumez (ceci est très important, c'est cette façon de faire qui établit la différence entre une soupe d'une belle couleur et une autre ayant une couleur grisâtre).
9. Déposez dans les contenants.
10. Stérilisez 90 minutes dans un bain d'eau bouillante ou 30 minutes sous 10 livres de pression.

Pour servir: diluez avec la même quantité d'eau. Chauffez. Vérifiez l'assaisonnement.

SOUPE À LA SEMOULE

INGRÉDIENTS:

1 bocal ou 1 boîte de bouillon de poulet en conserve
2 tasses [½ litre] **d'eau bouillante**
2 c. à table [2 c. à soupe] **de semoule crème de blé**
1 jaune d'oeuf
2 c. à table [2 c. à soupe] **de ciboulette hachée**

PRÉPARATION:

1. Déposez le bouillon dans une marmite avec l'eau bouillante.
2. Faites bouillir 3 minutes.
3. Ajoutez la semoule en pluie.
4. Laissez mijoter 10 minutes.
5. Vérifiez l'assaisonnement.
6. Mettez 1 jaune d'oeuf dans une soupière, ajoutez graduellement le bouillon.
7. Parsemez de ciboulette hachée.

SOUPE AUX PÂTES ALIMENTAIRES

INGRÉDIENTS:

1 boîte de bouillon de poulet
2 tasses [½ litre] **d'eau bouillante**
⅓ tasse [60 grammes] **de pâtes alimentaires (alphabet)**
2 c. à table [2 c. à soupe] **de persil haché**

PRÉPARATION:

1. Versez le bouillon dans une marmite avec l'eau bouillante.
2. Portez à ébullition.
3. Ajoutez les pâtes alimentaires.
5. Laissez bouillir 15 minutes.
6. Saupoudrez de persil haché.

Servez.

SOUPE AUX LÉGUMES

INGRÉDIENTS:

4 tasses [600 grammes] **de carottes**
1 tasse [150 grammes] **de navet**
1 tasse [150 grammes] **de céleri**
2 poireaux
2 panais
3 pintes [3,5 litres] **de bouillon de boeuf**

PRÉPARATION:

1. Déposez tous les légumes coupés en fines juliennes dans un panier métallique.
2. Faites blanchir 3 minutes dans de l'eau bouillante.
3. Refroidissez.
4. Mettez ½ tasse [*75 grammes*] de légumes blanchis dans les bocaux de verre ou dans les boîtes en ferblanc.
5. Finissez de remplir les récipients jusqu'à ½ pouce [*1 centimètre*] du bord, avec du bouillon de boeuf.
6. Fermez.
7. Stérilisez 90 minutes dans une grande casserole d'eau bouillante ou 30 minutes sous 10 livres de pression.

Pour servir: diluez avec la même quantité d'eau. Chauffez. Vérifiez l'assaisonnement.

SOUPE AUX NOUILLES

INGRÉDIENTS:

- **1 bocal ou 1 boîte de bouillon de poulet**
- **2 tasses** [½ litre] **d'eau bouillante**
- **½ tasse** [50 grammes] **de nouilles aux oeufs**
- **½ tasse** [125 grammes] **de blanc de poulet coupé en menus morceaux**
- **1 c. à table** [1 c. à soupe] **de fécule de pommes de terre**
- **¼ de tasse** [½ décilitre] **d'eau froide**

PRÉPARATION:

1. Déposez le bouillon dans une marmite avec l'eau bouillante.
2. Portez à ébullition.
3. Ajoutez les nouilles aux oeufs.
4. Laissez cuire 15 minutes.
5. Vérifiez l'assaisonnement.
6. Ajoutez le blanc de poulet, puis la fécule de pommes de terre délayée avec l'eau froide.
7. Faites bouillir 5 minutes.

Servez dans une soupière.

SOUPE AUX POIS À LA CANADIENNE

INGRÉDIENTS:

8 tasses [1 kg 400] **de pois**
8 pintes [9 litres] **d'eau froide**
2 lb [900 grammes] **de lard salé**
2 oignons hachés finement
sarriette

PRÉPARATION:

1. Triez et lavez les pois, faites-les tremper toute la nuit dans 4 pintes [*4,5 litres*] d'eau.
2. Mettez à cuire le lendemain en ajoutant le reste de l'eau; pendant la cuisson, ajoutez de l'eau si nécessaire.
3. Ajoutez le lard salé coupé en morceaux, les oignons et la sarriette.
4. Laissez mijoter 2 heures.
5. Enlevez le lard.
6. Remplissez jusqu'à 1 pouce [*2½ centimètres*] du bord, les bocaux de verre ou les boîtes en fer-blanc.
7. Fermez.
8. Stérilisez 120 minutes dans une grande casserole d'eau bouillante ou 45 minutes sous 10 livres de pression.
9. Refroidissez.

Pour servir: versez le contenu du bocal ou de la boîte dans une casserole. Faites bouillir quelques minutes. Vérifiez l'assaisonnement. Saupoudrez de sarriette.

SOUPE AU RIZ ET AU BOUILLON DE POULET

INGRÉDIENTS:

2 pintes [2 litres] **d'eau bouillante**
1 c. à table [1 c. à soupe] **de gros sel**
1 tasse [200 grammes] **de riz**
3 pintes [3,5 litres] **de bouillon de poulet**

PRÉPARATION:

1. Faites cuire le riz à l'eau bouillante salée pendant 10 minutes.
2. Passez-le à l'eau froide.
3. Mettez ⅓ de tasse [*6 c. à soupe*] de riz à demi-cuit dans les bocaux de verre ou dans les boîtes en fer-blanc.
4. Finissez le remplissage des récipients jusqu'à 1 pouce [*2½ centimètres*] du bord, avec du bouillon de poulet.
5. Fermez.
6. Stérilisez 90 minutes dans une grande casserole d'eau bouillante ou 30 minutes sous 10 livres de pression.
7. Refroidissez.

Pour servir: diluez avec la même quantité d'eau. Chauffez. Vérifiez l'assaisonnement.

SOUPE AU VIN ROUGE

INGRÉDIENTS:

- **1 bocal ou une boîte de bouillon**
- **2 tasses** [½ litre] **d'eau bouillante**
- **1 boîte de jus de tomates de 28 onces** [1 litre ½]
- **1 c. à thé** [1 c. à café] **de sucre**
- **¼ c. à thé** [¼ c. à café] **de marjolaine**
- **¼ de tasse** [29 grammes] **de sagou**
- **½ tasse** [⅛ de litre] **de vin rouge**

PRÉPARATION:

1. Ouvrez les contenants de bouillon de boeuf et de jus de tomates.
2. Ajoutez l'eau bouillante, le sucre et la marjolaine.
3. Portez à ébullition.
4. Ajoutez le sagou.
5. Faites cuire 10 minutes.
6. Ajoutez le vin sans faire bouillir.
7. Vérifiez l'assaisonnement.

Servez.

SOUPE ÉTOILÉE

INGRÉDIENTS:

- **2 pintes** [1 kg 200] **de tomates coupées en gros morceaux**
- **3 pintes** [3,5 litres] **de bouillon de poulet**
- **1 oignon émincé**
- **6 clous de girofle**
- **½ tasse** [½ tasse à thé] **de feuilles de céleri**
- **1 tasse** [100 grammes] **de pâtes alimentaires de fantaisie, à demi-cuites (étoiles)**

PRÉPARATION:

1. Lavez les tomates, ébouillantez-les.
2. Enlevez la pelure, coupez-les en morceaux.
3. Ajoutez le bouillon, l'oignon, les clous de girofle et les feuilles de céleri.
4. Faites bouillir 30 minutes.
5. Passez au tamis.
6. Vérifiez l'assaisonnement.
7. Déposez ¼ de tasse [*25 grammes*] de pâtes alimentaires à demi-cuites dans les récipients servant à faire les conserves.
8. Remplissez de liquide coulé jusqu'à ½ pouce du bord [*1 centimètre*].
9. Fermez.
10. Stérilisez 90 minutes dans un bain d'eau bouillante ou 30 minutes sous 10 livres de pression.

Pour servir: diluez avec la même quantité d'eau. Chauffez. Vérifiez l'assaisonnement.

SOUPE PERLÉE

INGRÉDIENTS:

1 bocal de bouillon de boeuf
3 tasses [¾ de litre] **d'eau bouillante**
1 poireau coupé en petits morceaux
2 c. à table [18 grammes] **de tapioca fin**
Persil haché

PRÉPARATION:

1. Versez le bouillon dans une marmite avec l'eau bouillante.
2. Portez à ébullition.
3. Ajoutez le poireau coupé en menus morceaux.
4. Faites mijoter 10 minutes puis ajouter en pluie le tapioca fin.
5. Continuez la cuisson jusqu'à ce que le tapioca devienne transparent.
6. Saupoudrez de persil au moment de servir.

SOUPE VICHYSSOISE SERVIE CHAUDE

INGRÉDIENTS:

4 blancs de poireaux tranchés
2 oignons émincés
2 branches de céleri coupées
2 pommes de terre coupées
4 tasses [1 litre] d'eau **bouillante**
2 c. à thé [2 c. à café] **de sel**
½ tasse [120 grammes] **de beurre**
½ tasse [75 grammes] **de farine tout usage**

PRÉPARATION:

1. Faites cuire les légumes 20 minutes à l'eau bouillante salée.
2. Faites fondre le beurre, ajoutez la farine, cuisez en brassant.
3. Retirez du feu, ajoutez le liquide des légumes, mélangez parfaitement.
4. Remettez sur le feu et continuez la cuisson en brassant jusqu'à épaississement.
5. Ajoutez les légumes cuits et passez le tout au «blender».
6. Remplissez les contenants stérilisés jusqu'à 1 pouce du bord [2½ *centimètres*].
7. Stérilisez pendant 120 minutes dans un bain d'eau bouillante ou 45 minutes sous 10 livres de pression.
8. Retirez de l'eau chaude.
9. Refroidissez.

Pour servir: chauffez au point d'ébullition avec une égale quantité de lait et de crème à 15%. Saupoudrez de ciboulette hachée. Vous pouvez doubler ou tripler les ingrédients donnés dans cette recette.

Les Viandes

AGNEAU

INGRÉDIENTS:

4 pintes [4,5 litres] **d'eau**
6 lb [3 kg] **d'agneau**
bouquet garni **(voir page 42)**
2 c. à table [2 c. à soupe] **de gros sel**

PRÉPARATION:

1. Chauffez l'eau avec le bouquet garni et le sel.
2. Ajoutez l'agneau coupé en morceaux d'environ $3/4$ de livre [*300 grammes*].
3. Faites mijoter 30 minutes.
4. Retirez la viande.
5. Enlevez les os, le gras et le cartilage.
6. Déposez l'agneau coupé en grosses tranches dans les bocaux de verre ou les boîtes en fer-blanc émaillées.
7. Remplissez jusqu'à $1/4$ de pouce [$1/2$ *centimètre*] du bord avec le bouillon coulé qui a servi à la cuisson, après l'avoir fait concentrer à la moitié du volume.
8. Fermez les contenants.
9. Stérilisez 90 minutes dans un bain d'eau bouillante ou 30 minutes sous 10 livres de pression.
10. Refroidissez.

BOEUF

INGRÉDIENTS:

8 lb [4 kg] **de boeuf**
6 pintes [7 litres] **d'eau**
1 bouquet garni (voir page 42)
2 c. à table [2 c. à soupe] **de gros sel**

PRÉPARATION:

1. Essuyez le boeuf.
2. Coupez en morceaux de ½ livre [*250 grammes*].
3. Faites bouillir 30 minutes.
4. Enlevez les os, l'excès de gras et le cartilage.
5. Divisez à nouveau chaque morceau en 4 portions.
6. Déposez la viande dans des bocaux de verre ou dans des boîtes en fer-blanc émaillées.
7. Remplissez avec le liquide qui a servi à la cuisson après l'avoir coulé et l'avoir fait réduire de moitié.
8. Stérilisez 180 minutes dans un bain d'eau bouillante ou 60 minutes sous 10 livres de pression.
9. Fermez.
10. Refroidissez.

CASSOULET

INGRÉDIENTS:

8 tasses [1 kg 400] **de haricots blancs secs**
4 pintes [4,5 litres] **d'eau froide**
1 pinte [1 litre] **d'eau bouillante**
1 bouquet garni (voir page 42**)**
1 lb [500 grammes] **de lard salé coupé en tranches**
1 boîte de concentré aux tomates (page 40**)**
1 canard domestique (facultatif
4 lb [2 kg] **d'agneau**
2 lb [1 kg] **d'épaule de porc**
1 lb [500 grammes] **de tranches de saucisson à l'ail**
eau bouillante pour couvrir
2 c. à table [2 c. à soupe] **de gros sel**

PRÉPARATION:

1. Triez les haricots.
2. Lavez-les.
3. Trempez-les toute une nuit dans de l'eau froide.
4. Ajoutez le lendemain 1 pinte [*1 litre*] d'eau bouillante, le bouquet garni, le lard salé et le concentré aux tomates.
5. Laissez mijoter 1 heure.
6. Faites cuire également dans des casseroles différentes, pendant 1 heure, dans suffisamment d'eau bouillante pour couvrir le canard, l'agneau et le porc.
7. Salez pendant la cuisson.
8. Enlevez les os, le cartilage et l'excès de gras. Divisez en morceaux.
9. Remplissez jusqu'à ½ pouce [*1 centimètre*] du bord des bocaux de verre ou des boîtes en fer-blanc émaillées, en alternant haricots, canard, agneau, porc et saucisson tranché.
10. Mettez un rang de haricots entre chaque rang de viande.
11. Ajoutez du bouillon pour remplir les contenants.
12. Stérilisez 180 minutes dans un bain d'eau bouillante ou 60 minutes sous 10 livres
13. de pression. Refroidissez.

CÔTES LEVÉES (Spare-ribs)

INGRÉDIENTS:

5 lb [2 kg 500] **de côtes levées**
eau froide
2 c. à table [2 c. à soupe] **de gros sel**

PRÉPARATION:

1. Essuyez les côtes levées avec un linge humide.
2. Coupez en morceaux de 3 à 4 pouces.
3. Déposez dans une casserole.
4. Couvrez d'eau froide.
5. Chauffez jusqu'au point d'ébullition.
6. Salez.
7. Laissez mijoter, à couvert, à feu doux, 30 minutes.
8. Déposez la viande dans les contenants stérilisés, remplissez-les de bouillon dégraissé et coulé jusqu'à ½ pouce du bord [*1 centimètre*].
9. Fermez.
10. Stérilisez 210 minutes dans un bain d'eau bouillante ou 90 minutes sous 10 livres de pression.
11. Refroidissez.

Pour servir: chauffez un bocal de côtes levées. Ajoutez ½ tasse [*⅛ de litre*] *de sauce spéciale à l'ail commerciale; ou vous pouvez servir les côtes levées froides, accompagnées de catsup vert.*

CRETONS DU QUÉBEC

INGRÉDIENTS:

2 lb [1 kg] **de panne**
6 lb [3 kg] **de porc maigre haché**
6 rognons de porc
1 gros oignon
3 gousses d'ail
4 tasses [1 litre] **d'eau**
3 c. à table [3 c. à soupe] **de gros sel**
1 c. à thé [1 c. à café] **de poivre**
1 c. à thé [1 c. à café] **de cannelle**
1 c. à thé [1 c. à café] **de clou de girofle**

PRÉPARATION:

1. Enlevez la membrane qui recouvre la panne.
2. Passez au hache-viande.
3. Faites tremper les rognons 20 minutes dans l'eau vinaigrée, ouvrez-les, enlevez toutes les nervures, passez les rognons au hache-viande, de même que l'oignon et les gousses d'ail.
4. Mettez le porc haché dans un chaudron en fonte.
5. Ajoutez la panne, les rognons, l'eau, le sel, le poivre et les épices.
6. Faites cuire à feu doux 1 heure en ayant soin de brasser de temps en temps.
7. Retirez du feu.
8. Vérifiez l'assaisonnement.
9. Déposez dans des bocaux de verre ou des boîtes en fer-blanc émaillées.
10. Fermez.
11. Stérilisez 60 minutes sous 10 livres de pression ou 180 minutes dans un bain d'eau bouillante.
12. Refroidissez.

CIVET DE LIÈVRE

INGRÉDIENTS:

4 lièvres
½ tasse [75 grammes] **de farine**
1 lb [500 grammes] **de lard salé**
1 pinte [1 litre] **d'eau**
2 oignons émincés
2 gousses d'ail
½ c. à thé [½ c. à café] **de poivre**
½ c. à thé [½ c. à café] **de thym**
2 feuilles de laurier
2 tasses [½ litre] **de vin rouge**
2 tasses [½ litre] **d'eau**

PRÉPARATION:

1. Découpez les lièvres en morceaux.
2. Déposez dans un bol le vin, l'eau, les oignons, les gousses d'ail, le poivre, le thym et les feuilles de laurier.
3. Ajoutez les morceaux de lièvre.
4. Laissez mariner au moins 4 heures.
5. Ebouillantez le lard salé. Coupez-le en petits dés. Faites rôtir dans une casserole épaisse.
6. Epongez les morceaux de lièvre.
7. Roulez dans la farine.
8. Faites dorer dans la matière grasse.
9. Couvrez d'eau.
10. Salez au goût.
11. Faites mijoter 20 minutes.
12. Désossez.
13. Remettez dans la casserole.
14. Ajoutez la marinade coulée.
15. Continuez la cuisson 10 minutes.
16. Remplissez les contenants jusqu'à ½ pouce [*1 centimètre*] du bord.

17. Fermez.
18. Stérilisez 180 minutes dans un bain d'eau bouillante ou 90 minutes sous 10 livres de pression.
19. Refroidissez.

Pour servir: versez le contenu du récipient dans une casserole. Ajoutez la même quantité d'eau. Faites bouillir quelques minutes. Vérifiez l'assaisonnement.

DINDE

INGRÉDIENTS:

1 grosse dinde
4 pintes [4,5 litres] **d'eau**
1 bouquet garni (voir page 42**)**
2 c. à table [2 c. à soupe] **de gros sel**

PRÉPARATION:

1. Lavez la dinde.
2. Divisez-la en morceaux.
3. Faites cuire 45 minutes à l'eau bouillante salée dans laquelle on a ajouté le bouquet garni.
4. Retirez du liquide bouillant.
5. Enlevez la peau et les os.
6. Déposez en alternant chair blanche et chair brune dans des bocaux de verre ou dans des boîtes en ferblanc émaillées.
7. Ajoutez du bouillon de cuisson coulé jusqu'à ½ pouce [*1 centimètre*] du bord.
8. Fermez.
9. Stérilisez 180 minutes dans un bain d'eau bouillante ou 90 minutes sous 10 livres de pression.
10. Refroidissez.

GIBELOTTE DE LAPIN

INGRÉDIENTS:

4 lapins
½ tasse [125 grammes] **de beurre**
3 douzaines de petits oignons
½ tasse [75 grammes] **de farine tout usage**
2 tasses [½ litre] **de bordeaux blanc sec**
2 tasses [½ litre] **de bouillon de poulet**
1 c. à thé [1 c. à café] **de thym**
1 feuille de laurier
1 c. à table [1 c. à soupe] **de gros sel**
¼ c. à thé [¼ c. à café] **de poivre**
2 c. à table [2 c. à soupe] **de jus de citron**

PRÉPARATION:

1. Chauffez le gras dans une casserole épaisse, faites-y dorer les lapins dégraissés, lavés et coupés en morceaux.
2. Ajoutez la farine, faites-la blondir.
3. Versez le vin et le bouillon.
4. Chauffez jusqu'au point d'ébullition.
5. Ajoutez le thym, la feuille de laurier, le sel, le poivre.
6. Faites cuire pendant 45 minutes.
7. Ajoutez le jus de citron et les petits oignons pelés.
8. Continuez la cuisson 15 minutes.
9. Egouttez la viande et les oignons.
10. Mettez dans des contenants stérilisés.
11. Remplissez de bouillon coulé jusqu'à ½ pouce [*1 centimètre*] du bord.
12. Stérilisez 90 minutes dans un bain d'eau bouillante ou 30 minutes sous 10 livres de pression.
13. Refroidissez.

Pour servir: faites chauffer un bocal de gibelotte. Ajoutez de la crème à 15% jusqu'à l'obtention de la consistance désirée.

LANGUES DE VEAU

INGRÉDIENTS:

8 à 12 langues de veau selon la grosseur
4 pintes [4,5 litres] **d'eau chaude**
1 bouquet garni (voir page 42 **)**
2 c. à table [2 c. à soupe] **de gros sel**

PRÉPARATION:

1. Lavez les langues, déposez-les dans une casserole épaisse contenant l'eau, le sel et le bouquet garni.
2. Faites bouillir les langues jusqu'à ce que la peau s'enlève, ce qui demande environ 90 minutes.
3. Retirez les langues de l'eau, pelez-les, refroidissez-les.
4. Enlevez le cartilage.
5. Coulez le bouillon.
6. Mettez les langues entières ou coupées dans les contenants.
7. Ajoutez le bouillon de cuisson jusqu'à ½ pouce [*1 centimètre*] du bord.
8. Fermez les récipients.
9. Stérilisez 180 minutes dans un bain d'eau bouillante ou 90 minutes sous 10 livres de pression.
10. Refroidissez.

LAPIN

INGRÉDIENTS:

4 lapins
4 pintes [4,5 litres] **d'eau**
1 bouquet garni (voir page 42)
2 c. à table [2 c. à soupe] **de gros sel**

PRÉPARATION:

1. Nettoyez les lapins.
2. Découpez-les en 8 parties.
3. Déposez-les dans une casserole.
4. Ajoutez l'eau chaude, le bouquet garni et le sel.
5. Amenez à ébullition et laissez mijoter 30 minutes.
6. Retirez la viande du liquide.
7. Enlevez les os.
8. Déposez les morceaux de lapin dans les bocaux de verre ou les boîtes en fer-blanc émaillées.
9. Remplissez jusqu'à ½ pouce [*1 centimètre*] du bord avec le bouillon coulé qui a servi à la cuisson, après l'avoir fait réduire de moitié.
10. Fermez les contenants.
11. Stérilisez 90 minutes dans un bain d'eau bouillante ou 30 minutes sous 10 livres de pression.
12. Refroidissez.

PAUPIETTES DE VEAU FARCIES

INGRÉDIENTS:

6 lb [2 kilos] **de tranches de veau très minces dans le cuisseau**
3 c. à table [45 grammes] **de beurre**
3 oignons émincés
1 lb [500 grammes] **de porc frais haché**
4 tasses [120 grammes] **de mie de pain émiettée**
3 oeufs battus
½ c. à thé [½ c. à café] **de thym séché**
½ c. à thé [½ c. à café] **de marjolaine**
2 à table [2 c. à soupe] **de persil haché**
sel et poivre
10 tranches de lard salé
4 tasses [1 litre] **de bouillon**

PRÉPARATION:

1. Battez les tranches de veau à l'aide d'un couperet pour les amincir.
2. Chauffez le beurre, faites revenir les oignons et le porc haché.
3. Ajoutez la mie de pain, les oeufs, le thym, la marjolaine et le persil.
4. Mêlez le tout parfaitement.
5. Salez et poivrez au goût.
6. Déposez 1 c. à table [*1 c. à soupe*] de farce sur chaque escalope.
7. Fermez les bouts.
8. Roulez et ficeler.
9. Ebouillantez le lard salé.
10. Coupez en bâtonnets.
11. Faites-les dorer légèrement.
12. Mettez de côté.
13. Faites revenir les paupiettes dans le gras du lard.
14. Enlevez la ficelle.
15. Déposez dans les contenants en alternant paupiettes et bâtonnets de lard salé.
16. Couvrez jusqu'à ½ pouce [*1 centimètre*] du bord avec du bouillon.
17. Fermez.
18. Stérilisez 180 minutes, dans un bain d'eau bouillante ou 90 minutes sous 10 livres de pression.
19. Refroidissez.

PERDRIX

INGRÉDIENTS:

- **8 perdrix**
- **½ t sse** [75 grammes] **de lardons**
- **2 c. à thé** [2 c. à soupe] **de gros sel**
- **1 c. à thé** [1 c. à café] **de poivre**
- **1 c. à thé** [1 c. à café] **de romarin**
- **1 c. à thé** [1 c. à café] **de thym**

1. Ebouillantez les lardons.
2. Egouttez-les.
3. Faites-les dorer dans une cocotte épaisse.
4. Coupez les perdrix en 4.
5. Faites-les revenir, à petit feu, dans le lard fondu, 30 minutes.
6. Assaisonnez de sel, de poivre, de romarin et de thym.
7. Retirez la viande.
8. Enlevez les os.
9. Déposez dans les récipients. Ajoutez de l'eau jusqu'à ½ pouce [*1 centimètre*] du bord.
10. Stérilisez 180 minutes dans un bain d'eau bouillante ou 90 minutes sous 10 livres de pression.
11. Refroidissez.

Pour servir: versez les perdrix dans une casserole. Ajoutez la même quantité d'eau. Faites bouillir 10 minutes. Accompagnez ce mets de chou coupé en 8, cuit à l'eau bouillante salée, égoutté, roulé et rôti dans du beurre.

POULES À LA CANADIENNE

INGRÉDIENTS:

4 poules
4 pintes [4,5 litres] **d'eau bouillante**
2 c. à table [2 c. à soupe] **de gros sel**
1 bouquet garni (voir page 42)
2 tasses [300 grammes] **de farine**
2 tasses [½ litre] **d'eau**

PRÉPARATION:

1. Séparez chaque poule en 8 parties.
2. Faites bouillir 40 minutes à l'eau bouillante salée dans laquelle on ajoute le bouquet garni.
3. Retirez les volailles.
4. Enlevez les os et la peau.
5. Coulez le bouillon.
6. Ajoutez les portions de poulet.
7. Portez à ébullition.
8. Ajoutez la farine délayée à l'eau froide en évitant de faire des grumeaux.
9. Faites bouillir 3 minutes.
10. Remplissez les récipients jusqu'à ½ pouce [*1 centimètre*] du bord.
11. Fermez.
12. Stérilisez 120 minutes dans un bain d'eau bouillante ou 60 minutes sous 10 livres de pression.
13. Refroidissez.

Pour servir, versez le contenu d'un récipient dans une casserole. Ajoutez 2 tasses de lait [½ litre]. Faites bouillir quelques minutes. Vérifiez l'assaisonnement.

POULES EN GELÉE

INGRÉDIENTS:

- **2 pieds de veau coupés en deux**
- **4 oignons coupés en rondelles**
- **3 carottes tranchées**
- **½ lb** [250 grammes] **de poitrine de lard coupé en bâtonnets**
- **2 gousses d'ail**
- **8 feuilles de céleri**
- **1 bouquet garni (voir page** 42)
- **1 c. à table** [1 c. à soupe] **de gros sel**
- **½ c. à thé** [½ c. à café] **de poivre**
- **2 poules de 4 à 5 lb** [2 à 2 kg ½]
- **½ tasse** [⅛ de litre] **de cognac (facultatif)**
- **2 clous de girofle**
- **2 petits piments rouges séchés**

PRÉPARATION:

1. Mettez dans une grande marmite les pieds de veau, les oignons, les carottes, les bâtonnets de lard, les gousses d'ail, les feuilles de céleri, le bouquet garni, le sel, le poivre et de l'eau froide pour couvrir.
2. Faites bouillir 60 minutes.
3. Ajoutez les poules coupées en 8 morceaux, le cognac, les clous de girofle et le piment.
4. Ajoutez de l'eau bouillante pour couvrir.
5. Continuez l'ébullition pendant 60 minutes.
6. Retirez les volailles.
7. Enlevez la peau et les os.
8. Remplissez les récipients en alternant le blanc, le brun des poules et les bâtonnets de lard.
9. Versez du bouillon concentré et coulé jusqu'à ½ pouce [*1 centimètre*] du bord.
10. Stérilisez 120 minutes dans un bain d'eau bouillante ou 60 minutes sous 10 livres de pression.
11. Refroidissez.

Pour servir: ouvrez 1 contenant de poule en gelée. Déposez joliment sur de la laitue; de la purée de pommes ou un chutney aux fruits accompagne ce mets délicieux.

PORC

INGRÉDIENTS:

8 lb [4 kg] **de porc maigre**
4 pintes [4,5 litres] **d'eau**
1 bouquet garni **(voir page** 42)
2 c. à table [2 c. à soupe] **de gros sel**

PRÉPARATION:

1. Essuyez le porc.
2. Coupez en morceaux de 1 lb [*500 grammes*].
3. Faites bouillir 30 minutes.
4. Divisez ensuite en tranches épaisses.
5. Déposez la viande dans des bocaux de verre ou dans des boîtes en fer-blanc émaillées.
6. Remplissez jusqu'à ½ pouce [*1 centimètre*] du bord, avec le liquide qui a servi à la cuisson.
7. Fermez les contenants.
8. Stérilisez 210 minutes dans un bain d'eau bouillante ou 90 minutes sous 10 livres de pression.
9. Refroidissez.

POULETS EN SAUCE

INGRÉDIENTS:

- **3 poulets de 4 lb** [2 kg] **chacun coupés en morceaux**
- **sel et poivre**
- **farine tout usage**
- **½ lb** [250 grammes] **de lard frais coupé en bâtonnets**
- **1 c. à table** [15 grammes] **de beurre**
- **30 petits oignons entiers**
- **2½ tasses** [6 décilitres] **de vin blanc sec**
- **3 tasses** [¾ de litre] **de bouillon de poulet**
- **4 tasses** [600 grammes] **de carottes coupées en cubes de ½ pouce** [1 centimètre]
- **1 lb** [500 grammes] **de champignons frais**
- **¾ de tasse** [180 grammes] **de beurre**
- **¾ de tasse** [180 grammes] **de farine**
- **2 c. à thé** [2 c. à café] **de sel**
- **½ c. à thé** [½ c. à café] **de poivre**

PRÉPARATION:

1. Essuyez les morceaux de poulets.
2. Salez, poivrez et passez-les dans la farine.
3. Faites dorer les bâtonnets de lard. Mettez de côté.
4. Dans une marmite, chauffez le beurre, faites revenir les morceaux de poulet et les oignons.
5. Ajoutez les lardons.
6. Salez et poivrez.
7. Ajoutez le vin et le bouillon.
8. Couvrez la marmite.
9. Faites cuire au four, à 325 °F [163 °C], 30 minutes.
10. Ajoutez les carottes, continuez la cuisson 15 minutes.
11. Ajoutez les têtes entières des champignons et les tiges coupées en morceaux.
12. Faites cuire 3 minutes à feu doux.
13. Mêlez le beurre ramolli à la farine.

14. Ajoutez par petites quantités à la fois, à la préparation, laissez mijoter quelques minutes.
15. Déposez dans les contenants en alternant les morceaux de poulet, les lardons, les oignons, les carottes et les champignons.
16. Couvrez jusqu'à ½ pouce [*1 centimètre*] du bord avec la sauce.
17. Fermez les bocaux.
18. Stérilisez 180 minutes dans un bain d'eau bouillante ou 75 minutes sous 10 livres de pression.
19. Laissez refroidir.

Pour servir: chauffez un récipient de poulet en sauce. Ajoutez de la crème à 15% jusqu'à l'obtention de la consistance désirée.

POITRINES DE POULET

INGRÉDIENTS:

12 poitrines de poulet
Bouillon de poulet

PRÉPARATION:

1. Déposez, sans les briser, les poitrines de poulet dans des bocaux de verre ou dans des boîtes en ferblanc stérilisées.
2. Remplissez les récipients jusqu'à ¼ de pouce [*½ centimètre*] du bord, de bouillon de poulet.
3. Faites stériliser 90 minutes dans un bain d'eau bouillante ou 30 minutes sous 10 livres de pression.

RAGOÛT D'AGNEAU

INGRÉDIENTS:

- **4 à 5 lb** [2 à 2 kg 500] **d'agneau coupé en morceaux**
- **1 tasse** [150 grammes] **de farine**
- **⅓ de tasse** [90 grammes] **de beurre, huile**
- **5 tasses [1 litre ¼]** d'eau
- **1½ c. à thé** [1½ c. à café] **de sel**
- **¼ c. à thé** [¼ c. à café] **de poivre**
- **10 pommes de terre coupées en gros cubes**
- **10 carottes coupées en grosses tranches**
- **3 oignons émincés**

PRÉPARATION:

1. Essuyez la viande avec un linge humide.
2. Enlevez le surplus de gras.
3. Enfarinez les morceaux d'agneau.
4. Faites-les revenir dans le beurre et l'huile jusqu'à ce qu'ils soient bien dorés.
5. Ajoutez l'eau.
6. Couvrez.
7. Laissez mijoter 20 minutes.
8. Ajoutez le sel, le poivre, les pommes de terre, les carottes et les oignons.
9. Continuez la cuisson encore 15 minutes.
10. Remplissez les contenants en répartissant uniformément viande et légumes.
11. Remplissez jusqu'à ¼ de pouce [½ *centimètre*] du bord avec le bouillon coulé qui a servi à la cuisson du ragoût.
12. Fermez les récipients.
13. Stérilisez 90 minutes dans un bain d'eau bouillante ou 30 minutes sous 10 livres de pression.
14. Laissez refroidir.

RAGOÛT DE BOULETTES DE PORC

INGRÉDIENTS:

- **6 lb** [3 kg] **de porc haché**
- **1 gros oignon émincé**
- **¼ de tasse** [55 grammes] **de graisse**
- **3 c. à table** [3 c. à soupe] **de sel**
- **2 c. à thé** [2 c. à café] **de poivre**
- **1 c. à thé** [1 c. à café] **de clou moulu**
- **1 c. à thé** [1 c. à café] **de cannelle**
- **1 c. à thé** [1 c. à café] **de muscade**
- **6 pintes** [7 litres] **d'eau bouillante**
- **3 tasses** [600 grammes] **de farine grillée**
- **6 tasses** [1 litre ½] **d'eau froide**

PRÉPARATION:

1. Déposez la viande dans un grand bol.
2. Ajoutez l'oignon émincé revenu dans la graisse et tous les assaisonnements: sel, poivre, clou, cannelle et muscade.
3. Travaillez le mélange avec les mains pour bien distribuer les assaisonnements.
4. Façonner les boulettes de moyenne grosseur.
5. Passez dans la farine, faites-les mijoter 20 minutes à l'eau bouillante.
6. Ajoutez, en brassant, la farine grillée délayée à l'eau froide.
7. Faites bouillir 3 minutes.
8. Remplissez les récipients jusqu'à ½ pouce [*1 centimètre*] du bord.
9. Fermez.
10. Stérilisez 180 minutes dans un bain d'eau bouillante ou 90 minutes sous 10 livres de pression.
11. Refroidissez.

Pour servir: versez le contenu du récipient dans une casserole. Ajoutez la même quantité d'eau. Faites bouillir quelques minutes. Vérifiez l'assaisonnement, servez avec des pommes de terre bouillies.

Remarques: Vous faites griller la farine dans un poêlon directement sur l'élément de la cuisinière ou au four à 350° F [175° C].

RAGOÛT DE BOEUF ET DE ROGNONS

INGRÉDIENTS:

- **6 lb** [3 kg] **de boeuf (bas de ronde)**
- **4 rognons de porc**
- **2 c. à table** [30 grammes] **de graisse**
- **4 pintes** [4,5 litres] **d'eau**
- **2 c. à table** [2 c. à soupe] **de gros sel**
- **1 gousse d'ail**
- **2 tasses** [300 grammes] **de farine grillée**
- **4 tasses** [1 litre] **d'eau froide**
- **2 c. à thé** [2 c. à café] **de paprika**
- **½ tasse** [125 grammes] **de concentré aux tomates** **(voir page 40)**

PRÉPARATION:

1. Faites tremper les rognons 20 minutes dans de l'eau froide vinaigrée.
2. Egouttez.
3. Séparez-les en deux sur la longueur.
4. Enlevez soigneusement toutes les nervures qui se trouvent à l'intérieur, ainsi que la petite peau qui les recouvre.
5. Coupez en gros dés.
6. Essuyez et passez dans la farine pour assécher.
7. Chauffez la graisse, faites saisir les rognons.
8. Coupez le boeuf en gros cubes.
9. Faites mijoter, pendant 30 minutes, dans l'eau bouillante salée dans laquelle on a ajouté la gousse d'ail.
10. Epaississez ce ragoût avec la farine délayée à l'eau froide.
11. Ajoutez les rognons, le paprika et le concentré aux tomates.
12. Amenez à ébullition, laissez mijoter 15 à 20 minutes.

13. Vérifiez l'assaisonnement.
14. Déposez dans des bocaux de verre ou dans des boîtes en fer-blanc.
15. Stérilisez 180 minutes ou 90 minutes sous 10 livres de pression.
16. Refroidissez.

SAUTÉ DE VEAU

INGRÉDIENTS:

- **6 lb** [3 kg] **de veau coupé en cubes**
- **¼ de tasse** [36 grammes] de **farine**
- **2 c. à table** [30 grammes] **de beurre**
- **2 c. à table** [2 c. à soupe] **d'huile végétale**
- **4 tasses** [1 litre] **de bouillon ou d'eau**
- **2 tasses** [½ litre] **de jus de tomates**
- **1 bouquet garni** **(voir page** 42**)**
- **2 c. à table** [2 c. à soupe] **de gros sel**

PRÉPARATION:

1. Enfarinez les cubes de veau, sautez-les dans la matière grasse, dans une cocotte épaisse.
2. Ajoutez le bouillon ou l'eau, le jus de tomates, le bouquet garni et le sel.
3. Faites bouillir 20 minutes.
4. Enlevez le bouquet garni.
5. Vérifiez l'assaisonnement.
6. Déposez dans les récipients.
7. Stérilisez 90 minutes sous 10 livres de pression ou 180 minutes dans un bain d'eau bouillante.
8. Refroidissez.

Pour servir: chauffez dans une casserole émaillée 1 contenant de sauté de veau. Ajoutez en brassant 1 tasse [¼ de litre] de crème chaude à 15%.

VEAU À LA CRÉOLE

INGRÉDIENTS:

- **8 à 10 lb** [de 4 à 5 kg] **de veau coupé en morceaux**
- **¾ de tasse** [110 grammes] **de farine tout usage**
- **1½ c. à table** [1½ c. à soupe] **de sel**
- **huile végétale**
- **3 tasses** [475 grammes] **d'oignons émincés**
- **1½ tasse** [190 grammes] **de piment haché**
- **2 boîtes de 28 onces** [1 litre½] **de tomates**
- **3 gousses d'ail émincé**
- **¾ c. à thé** [¾ c. à café] **de basilic**

PRÉPARATION:

1. Essuyez les morceaux de veau.
2. Mettez dans un sac la farine et le sel.
3. Enfarinez quelques morceaux de veau à la fois en secouant.
4. Faites revenir dans une poêle contenant ½ pouce [*1 centimètre*] d'huile végétale.
5. Faites dorer également dans l'huile les oignons et le piment.
6. Répartissez dans des contenants stérilisés veau et légumes.
7. Remplissez jusqu'à ½ pouce [*1 centimètre*] du bord avec les tomates cuites 3 minutes avec l'ail et le basilic.
8. Coulez avant de verser dans les bocaux.
9. Fermez.
10. Stérilisez pendant 180 minutes dans un bain d'eau bouillante ou 90 minutes sous 10 livres de pression.
11. Refroidissez.

Les Poissons

DORÉS

INGRÉDIENTS:

5 à 6 dorés
Huile végétale
Saumure

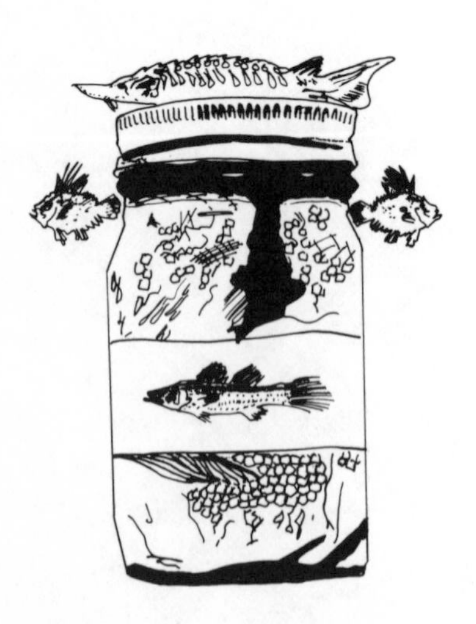

PRÉPARATION:

1. Eviscérez les dorés.
2. Coupez la tête, les nageoires et la queue.
3. Faites tremper les poissons pendant 30 minutes dans une saumure faite de ¼ de tasse [*28 grammes*] de gros sel par 2 pintes [*1 litre*] d'eau (préparez suffisamment de saumure pour y faire tremper tous les dorés).
4. Egouttez.
5. Coupez en morceaux de la grosseur voulue pour être mis dans les contenants.
6. Asséchez.
7. Faites revenir, pendant 2 minutes, de chaque côté, dans l'huile.
8. Mettez dans les bocaux les morceaux aussi serrés que possible, la peau vers l'extérieur.
9. Fermez.
10. Stérilisez 180 minutes dans un bain d'eau bouillante ou 45 minutes sous 10 livres de pression.
11. Refroidissez.

FILETS D'ACHIGAN

INGRÉDIENTS:

8 à 10 lb [4 à 5 kilos]
de filets d'achigan
Huile
Sel

PRÉPARATION:

1. Prélevez les filets d'achigan.
2. Enlevez la peau.
3. Essuyez.
4. Coupez de la longueur convenant aux récipients.
5. Faites revenir chaque filet dans de l'huile, 2 minutes, de chaque côté.
6. Déposez les filets chauds en les tassant dans des bocaux de verre ou des boîtes en fer-blanc stérilisées, aussi serrés que possible.
7. Fermez.
8. Stérilisez 180 minutes dans un bain d'eau bouillante ou 45 minutes sous 10 livres de pression.
9. Refroidissez.

MORUE À LA SAUCE TOMATE

INGRÉDIENTS:

3 à 4 morues
Huile
Sauce tomate (recette voir page 91)

PRÉPARATION:

1. Eviscérez les morues.
2. Coupez la tête, la queue et les nageoires.
3. Lavez.
4. Coupez les poissons en tronçons, sans enlever les arêtes, de la longueur convenant aux contenants.
5. Asséchez.
6. Faites revenir chaque morceau dans l'huile 2 minutes de chaque côté.
7. Déposez les morceaux de morue chauds dans des bocaux de verre ou dans des boîtes de fer-blanc stérilisées.
8. Remplissez de sauce tomate en laissant un espace libre de ½ pouce [*1 centimètre*] en haut du récipient.
9. Fermez.
10. Stérilisez 180 minutes (après ce temps de cuisson, les arêtes sont cuites) dans un bain d'eau bouillante ou 45 minutes sous 10 livres de pression.
11. Refroidissez.

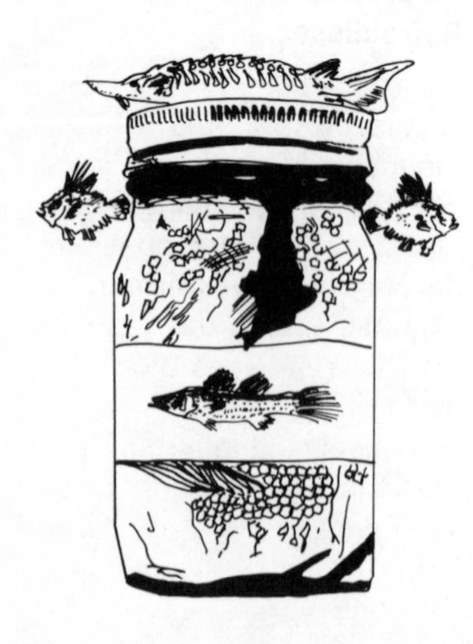

SAUCE TOMATE

INGRÉDIENTS:

¼ de tasse [½ décilitre] **d'huile végétale**
4 oignons émincés
24 grosses tomates rouges
2 tasses [½ litre] **d'eau**
2 feuilles de laurier
4 clous de girofle
2 gousses d'ail
12 feuilles de céleri
4 tiges de persil

PRÉPARATION:

1. Blanchissez les tomates.
2. Refroidissez-les.
3. Pelez-les.
4. Chauffez l'huile, faites revenir les oignons émincés sans les laisser brunir.
5. Ajoutez les tomates coupées en morceaux, l'eau et tous les autres ingrédients.
6. Faites mijoter 30 minutes.
7. Passez au tamis.

TRUITES GRISES OU AUTRES

INGRÉDIENTS:

20 à 24 truites
Sel

PRÉPARATION:

1. Eviscérez la truite.
2. Coupez la tête, la queue et les nageoires.
3. Lavez.
4. Cuisez 10 minutes à la vapeur.
5. Mettez dans les contenants, aussi serrés que possible, la peau vers l'extérieur.
6. Ajoutez ¼ c. à thé [*¼ c. à café*] de sel (pas d'eau).
7. Fermez.
8. Stérilisez 180 minutes dans un bain d'eau bouillante ou 45 minutes sous 10 livres de pression.
9. Refroidissez.

SAUMON

INGRÉDIENTS:

2 ou trois saumons très frais
Sel

PRÉPARATION:

1. Ecaillez les saumons.
2. Enlevez la tête, les viscères, les nageoires et la queue.
3. Lavez-les; n'enlevez pas les arêtes.
4. Coupez-les en tronçons.
5. Passez-les 10 minutes à la vapeur dans un petit ustensile appelé «marguerite».
6. Mettez dans les récipients, aussi serrés que possible, la peau vers l'extérieur.
7. Ajoutez ¼ c. à thé [*¼ c. à café*] de sel (pas d'eau).
8. Fermez.
9. Stérilisez 180 minutes dans un bain d'eau bouillante ou 45 minutes sous 10 livres de pression.
10. Refroidissez.

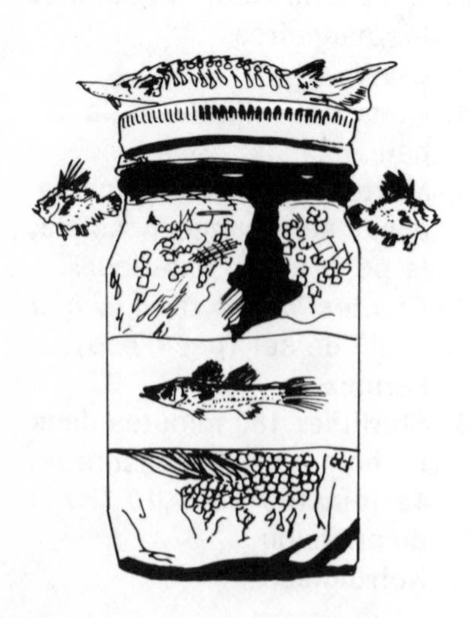

Les Légumes

Voir pages 17 à 37 pour la marche à suivre.

ASPERGES

INGRÉDIENTS:

Asperges
Eau bouillante
Sel

PRÉPARATION:

1. Lavez les asperges.
2. Coupez les tiges à la hauteur des bocaux.
3. Liez-les en bottes.
4. Faites-les blanchir 3 minutes dans un bain d'eau bouillante.
5. Refroidissez.
6. Remplissez les récipients d'asperges, les pointes en haut.
7. Ajoutez ½ c. à thé [½ *c. à café*] de sel par bocal de verre de 16 onces [½ *litre*] ou boîte en fer-blanc de 20 onces [*6 décilitres*].
8. Ajoutez l'eau bouillante jusqu'à ¼ de pouce [½ *centimètre*] du bord (espace de tête).
9. Fermez les contenants.
10. Stérilisez 120 minutes dans un bain d'eau bouillante ou 30 minutes sous 10 livres de pression.
11. Refroidissez.

BETTERAVES ENTIÈRES

INGRÉDIENTS:

Betteraves (petites)
Eau bouillante

Omettez le sel, ce qui altère la couleur.

PRÉPARATION:

1. Lavez les betteraves.
2. Classez-les selon la grosseur.
3. Faites cuire à l'eau bouillante jusqu'à ce que la pelure s'enlève, environ 20 minutes.
4. Refroidissez.
5. Déposez dans les contenants.
6. Remplissez jusqu'à ¼ de pouce [½ *centimètre*] du bord d'eau bouillante.
7. Fermez les bocaux.
8. Stérilisez 120 minutes dans un bain d'eau bouillante ou 30 minutes sous 10 livres de pression.
9. Refroidissez.

BETTERAVES EN CUBES

INGRÉDIENTS:

Betteraves
Sucre
Eau bouillante

PRÉPARATION:

1. Lavez les betteraves.
2. Classez-les selon la grosseur.
3. Faites cuire à l'eau bouillante jusqu'à ce que la pelure s'enlève.
4. Refroidissez.
5. Coupez en cubes d'égale grosseur.
6. Déposez dans des contenants.
7. Remplissez jusqu'à ¼ de pouce [½ *centimètre*] du bord d'eau bouillante.
8. Ajoutez ½ c. à thé [½ *c. à café*] de sucre.
9. Fermez les bocaux.
10. Stérilisez 90 minutes dans un bain d'eau bouillante ou 25 minutes sous 10 livres de pression.
11. Refroidissez.

CAROTTES

INGRÉDIENTS:

Carottes entières
Eau bouillante
Sel

PRÉPARATION:

1. Ratissez les carottes.
2. Lavez.
3. Classifiez selon la grosseur.
4. Blanchissez 10 minutes.
5. Refroidissez.
6. Déposez dans les contenants stérilisés, en alternant petits et gros bouts.
7. Ajoutez ½ c. à thé [*½ c. à café*] de sel et de l'eau bouillante jusqu'à ¼ de pouce [*½ centimètre*] du bord.
8. Fermez les récipients.
9. Stérilisez 120 minutes dans un bain d'eau bouillante ou 45 minutes sous 10 livres de pression.
10. Refroidissez.

CHOUX-FLEURS

INGRÉDIENTS:

Choux-fleurs
Eau bouillante
Sel

PRÉPARATION:

1. Enlevez les fleurettes des choux-fleurs.
2. Faites tremper 30 minutes dans de l'eau froide salée.
3. Egouttez.
4. Blanchissez 3 minutes.
5. Refroidissez.
6. Déposez dans les contenants.
7. Ajoutez ½ c. à thé [*½ c. à café*] de sel et de l'eau bouillante jusqu'à ¼ de pouce [*½ centimètre*] du bord.
8. Fermez.
9. Stérilisez 60 minutes dans un bain d'eau bouillante ou 25 minutes sous 10 livres de pression.
10. Refroidissez.

COURGES

INGRÉDIENTS:

Courges
Sel
Eau bouillante

PRÉPARATION:

1. Pelez les courges.
2. Otez les graines et les membranes.
3. Coupez en morceaux.
4. Faites blanchir 3 minutes.
5. Plongez dans de l'eau froide.
6. Remplissez les bocaux ou les boîtes.
7. Ajoutez ½ c. à thé [*½ c. à café*] de sel et de l'eau bouillante jusqu'à ¼ de pouce [*½ centimètre*] du bord.
8. Fermez.
9. Stérilisez 120 minutes dans un bain d'eau bouillante ou 40 minutes sous 10 livres de pression.
10. Refroidissez.

ÉPINARDS

INGRÉDIENTS:

Epinards
Eau bouillante
Sel

PRÉPARATION:

1. Lavez soigneusement les épinards.
2. Enlevez les tiges.
3. Blanchissez 15 minutes à la vapeur dans un récipient appelé «marguerite» (blanchi de cette façon, le produit retient la plus grande partie de ses sels minéraux).
4. Remplissez les contenants.
5. Ajoutez ½ c. à thé [*½ c. à café*] de sel et de l'eau bouillante jusqu'à ¼ de pouce [*½ centimètre*] du bord.
6. Fermez les récipients.
7. Stérilisez 180 minutes dans un bain d'eau bouillante ou 80 minutes sous 10 livres de pression.
8. Refroidissez.

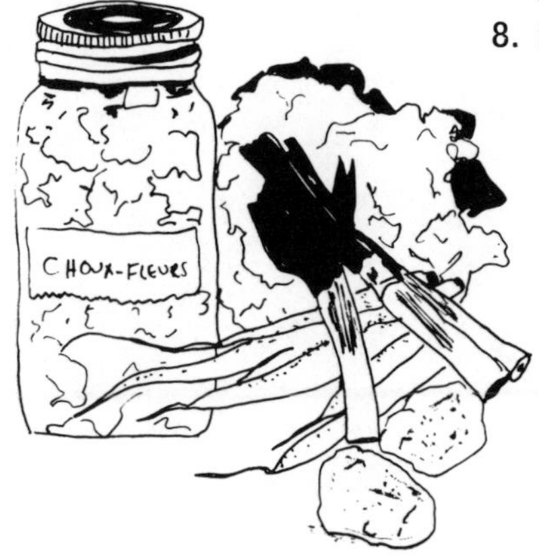

HARICOTS JAUNES OU VERTS

INGRÉDIENTS:

Haricots entiers ou coupés en morceaux
Sel
Eau bouillante

PRÉPARATION:

1. Lavez les haricots.
2. Enlevez les fils.
3. Coupez en morceaux.
4. Faites blanchir 3 minutes dans de l'eau bouillante.
5. Refroidissez.
6. Remplissez les récipients. Ajoutez 1 c. à thé [*1 c. à café*] de sel et de l'eau bouillante jusqu'à ¼ de pouce [*½ centimètre*] du bord.
7. Fermez.
8. Stérilisez 180 minutes dans un bain d'eau bouillante ou 30 minutes sous 10 livres de pression.
9. Refroidissez.

MAÏS EN ÉPIS

INGRÉDIENTS:

Maïs en épis
Sel
Sucre
Eau bouillante

PRÉPARATION:

1. Blanchissez les épis de maïs 10 minutes dans l'eau bouillante. Passez à l'eau froide.
2. Classifiez selon la grosseur.
3. Déposez dans les contenants stérilisés en alternant petits et gros bouts.
4. Ajoutez ½ c. à thé [*½ c. à café*] de sel et ½ c. à thé [*½ c. à café*] de sucre.
5. Remplissez d'eau bouillante jusqu'à ¼ de pouce [*½ centimètre*] du bord.
6. Fermez les récipients.
7. Stérilisez 180 minutes dans un bain d'eau bouillante ou 60 minutes sous 10 livres de pression.
8. Refroidissez.

MAÏS EN GRAINS

INGRÉDIENTS:

Maïs en grains
Sel
Sucre
Eau bouillante

PRÉPARATION:

1. Couvrez les épis de maïs d'eau bouillante.
2. Faites bouillir à couvert 4 minutes.
3. Passez à l'eau froide.
4. Coupez les grains de maïs de l'épi en utilisant un couteau bien aiguisé.
5. Remplissez les récipients, ajoutez ½ c. à thé [*½ à café*] de sel, 1 c. à thé [*1 c. à café*] de sucre et de l'eau bouillante en laissant une espace de tête de ½ pouce [*1 centimètre*].
6. Fermez les contenants.
7. Stérilisez 180 minutes dans un bain d'eau bouillante ou 60 minutes sous 10 livres de pression.
8. Refroidissez.

MAÏS LESSIVÉ

INGRÉDIENTS:

3 pintes [3,5 litres] **de grains de maïs mûris sur épis**
6 pintes [7 litres] **d'eau froide**
½ tasse [100 grammes] **de soda à pâte (bicarbonate de soude)**

PRÉPARATION:

1. Enlevez les grains de maïs des épis.
2. Mélangez à l'eau et au soda à pâte.
3. Faites tremper toute une nuit.
4. Faites bouillir dans la même eau pendant 3 heures.
5. Ajoutez 2 autres pintes [2 litres] d'eau pendant la cuisson.
6. Egouttez et rincez les grains en frottant jusqu'à ce que les peaux s'enlèvent.
7. Couvrez d'eau bouillante.
8. Faites bouillir à nouveau 5 minutes.
9. Egouttez.
10. Refaites l'opération encore une fois.
11. Remplissez les récipients jusqu'à 1 pouce [*2½ centimètres*] du bord. Ajoutez 1 c. à thé [*1 c. à café*] de sel et un peu d'eau.
12. Fermez.
13. Stérilisez dans un bain d'eau bouillante 120 minutes ou 50 minutes sous 10 livres de pression.
14. Refroidissez.

Pour servir: chauffez 1 contenant de maïs lessivé, ajoutez 2 c. à table [2 c. à soupe] *de beurre. Salez et poivrez. Servir comme légume.*

Ce maïs est excellent ajouté à la soupe aux pois.

PANAIS

INGRÉDIENTS:

Panais
Sel
Eau bouillante

PRÉPARATION:

1. Ratissez les panais.
2. Lavez-les.
3. Classez-les selon la grosseur.
4. Blanchissez 10 minutes, à l'eau bouillante. Refroidissez immédiatement.
5. Mettez dans les contenants stérilisés en alternant petits et gros bouts.
6. Ajoutez ½ c. à thé de sel [*½ c. à café*] et de l'eau bouillante jusqu'à ¼ de pouce [*½ centimètre*] du bord.
7. Fermez les récipients.
8. Stérilisez 90 minutes dans un bain d'eau bouillante ou 40 minutes sous 10 livres de pression.
9. Refroidissez.

POIS VERTS

INGRÉDIENTS:

Pois verts
Eau bouillante
Sel

PRÉPARATION:

1. Ecossez les pois.
2. Déposez-les dans un panier en métal.
3. Blanchissez 10 minutes.
4. Refroidissez.
5. Mettez immédiatement dans les récipients.
6. Ajoutez ½ c. à thé de sel [*½ c. à café*] et de l'eau bouillante jusqu'à ½ pouce [*1 centimètre*] du bord.
7. Fermez.
8. Stérilisez 180 minutes dans un bain d'eau bouillante ou 40 minutes sous 10 livres de pression.
9. Refroidissez.

SALSIFIS

INGRÉDIENTS:

Salsifis
Sel
Eau bouillante

PRÉPARATION:

1. Ratissez les salsifis.
2. Classifiez selon la grosseur.
3. Blanchissez 5 minutes à l'eau bouillante salée.
4. Refroidissez immédiatement.
5. Déposez dans les contenants stérilisés en alternant petits et gros bouts.
6. Ajoutez ½ c. à thé [*½ c. à café*] de sel et de l'eau bouillante jusqu'à ¼ de pouce [*½ centimètre*] du bord.
7. Fermez les récipients.
8. Stérilisez 90 minutes dans un grand bain d'eau bouillante ou 40 minutes sous 10 livres de pression.
9. Refroidissez.

Les Conserves diverses

LASAGNE AUX NOUILLES VERTES

Avec sauce italienne (voir page 126)

INGRÉDIENTS:

8 pâtes de lasagne (nouilles aux épinards)
1 pinte [1 litre] **d'eau**
1 c. à thé [1 c. à café] **de sel**
1 c. à table [1 1/2 centilitre] **d'huile d'olive**

PRÉPARATION:

1. Chauffez l'eau avec le sel et l'huile d'olive.
2. Placez les lasagnes les unes après les autres.
3. Faites bouillir à feu vif pendant 25 minutes.
4. Egouttez.
5. Passez à l'eau froide.
6. Beurrez un plat à gratin, y déposer 1 tasse [*1/4 de litre*] de sauce italienne (voir page 126).
7. Couvrez avec 4 lasagnes (nouilles aux épinards).
8. Ajoutez 1/2 tasse [*8 c. à soupe*] de fromage cottage, 1/2 tasse [*8 c. à soupe*] de fromage mozarella râpé et 4 lasagnes.
9. Arrosez d'une tasse [*1/4 de litre*] de sauce italienne.
10. Saupoudrez de 1/2 tasse [*8 c. à soupe*] de fromage mozarella râpé.
11. Faites gratiner au four à 350° F [*175° C*].

FEUILLES DE CHOU FARCIES

Avec sauce aux tomates (voir page 91)

INGRÉDIENTS:

12 feuilles de chou cuites dans
2 pintes [2 litres] **d'eau bouillante salée**
1 boîte de sauce tomate passée au «blender»
Farce à l'agneau

FARCE À L'AGNEAU

INGRÉDIENTS:

- **1/4 de tasse** [60 grammes] **de beurre**
- **1 oignon haché**
- **1/2 tasse** [45 grammes] **de mie de pain**
- **1/4 de tasse** [1/2 décilitre] **d'eau chaude**
- **2 tasses** [300 grammes] **d'agneau cuit, haché**
- **1 c. à thé** [1 c. à café] **de sel**
- **1/2 c. à thé** [1/2 c. à café] **de poivre**
- **1 c. à table** [1 c. à soupe] **de persil haché**
- **1/2 c. à thé** [1/2 c. à café] **de thym**
- **2 c. à table** [2 c. à soupe] **de noix de Grenoble hachées**

PRÉPARATION:

1. Chauffez le beurre.
2. Faites revenir l'oignon.
3. Ajoutez la mie de pain.
4. Faites prendre couleur.
5. Ajoutez l'eau, l'agneau haché, ainsi que tous les assaisonnements et les noix de Grenoble hachées.
6. Refroidissez.
7. Farcissez les feuilles de chou cuites à l'eau bouillante salée.
8. Roulez pour bien enrober la farce.
9. Déposez les rouleaux dans un plat en pyrex huilé.
10. Recouvrez de sauce tomate.
11. Saupoudrez de chapelure.
12. Faites gratiner au four à 375° F [*190° C*].

Servez dans le plat de cuisson.

MACARONI À LA SAUCE TOMATE AROMATISÉE

INGRÉDIENTS:

1 lb [500 grammes] **de macaroni coupé en bouts**
4 pintes [4 litres] **d'eau**
2 c. à table [2 c. à soupe] **de gros sel**
1 c. à table [1 ½ centilitre] **d'huile végétale**
sauce tomate aromatisée (recette page 115 **)**
4 tasses [500 grammes] **de jambon cuit coupé en cubes**

PRÉPARATION:

1. Portez l'eau à ébullition, ajoutez le sel et l'huile.
2. Faites bouillir le macaroni, coupé en bouts, 10 minutes.
3. Passez à l'eau froide.
4. Mélangez 1 tasse [*1 tasse à thé*] de macaroni cuit, 2 tasses [*2 tasses à thé*] de sauce tomate aromatisée et ½ tasse [*½ tasse à thé*] de jambon cuit coupé en cubes.
5. Brassez le tout.
6. Remplissez les récipients jusqu'à ½ pouce [*1 centimètre*] du bord.
7. Stérilisez dans un bain d'eau bouillante 60 minutes ou 30 minutes sous 10 livres de pression. Refroidissez. Gardez en réserve dans un endroit sec.

Pour servir: versez dans un plat à gratin beurré. Parsemez de noisettes de beurre et de fromage parmesan. Faites gratiner au four à 350 °F [175 °C].

SAUCE TOMATE AROMATISÉE

INGRÉDIENTS:

4 pintes [2 kg 500] **de tomates coupées en morceaux et blanchies**
2 tasses [250 grammes] **de piments rouges doux coupés en cubes**
2 tasses [250 grammes] **d'oignons émincés**
1 tasse [150 grammes] **de céleri haché fin**
8 clous de girofle
2 feuilles de laurier
2 gousses d'ail
¼ de tasse [60 grammes] **de sucre**
2 c. à table [2 c. à soupe] **de gros sel**
1 c. à thé [1 c. à café] **d'origan**
½ c. à thé [½ c. à café] **de poivre**
1 c. à thé [1 c. à café] **de marjolaine**

PRÉPARATION:

1. Blanchissez les tomates 2 minutes dans de l'eau bouillante.
2. Refroidissez-les.
3. Pelez-les.
4. Coupez en morceaux.
5. Déposez dans une casserole émaillée avec tous les autres ingrédients.
6. Faites bouillir 1 heure.
7. Vérifiez l'assaisonnement.
8. Enlevez les clous de girofle, les feuilles de laurier et les gousses d'ail.

MACARONI À LA SAUCE TOMATE AU PAPRIKA

INGRÉDIENTS:

1 lb [500 grammes] **de macaroni**
4 pintes [4,5 litres] **d'eau bouillante**
2 c. à table [2 c. à soupe] **de gros sel**
1 c. à thé [1 c. à café] **d'huile**
Sauce tomate au paprika (recette page 117**)**

PRÉPARATION:

1. Portez l'eau à ébullition.
2. Ajoutez le sel et l'huile.
3. Faites bouillir le macaroni 12 minutes.
4. Egouttez.
5. Passez à l'eau froide.
6. Mélangez 1 tasse [*1 tasse à thé*] de macaroni à 3 tasses [*3 tasses à thé*] de sauce tomate au paprika.
7. Faites ainsi jusqu'à ce que la provision de pâtes alimentaires et de sauce tomate soit épuisée.
8. Remplissez de ce mélange les récipients jusqu'à ½ pouce [*1 centimètre*] du bord.
9. Faites stériliser dans un bain d'eau bouillante 60 minutes ou 30 minutes sous 10 livres de pression.
10. Refroidissez.

Pour servir: versez dans un plat en pyrex beurré. Parsemez de noisettes de beurre. Saupoudrez de fromage de gruyère râpé. Faites gratiner au four à 350 °F [175 °C].

SAUCE TOMATE AU PAPRIKA

INGRÉDIENTS:

- **4 pintes** [2 kg 500] **de tomates coupées en morceaux**
- **¼ de tasse** [60 grammes] **de sucre**
- **2 c. à table** [2 c. à soupe] **de paprika**
- **2 c. à thé** [2 c. à café] **de poivre**
- **1 c. à table** [1 c. à soupe] **de moutarde en poudre**
- **2 c. à table** [2 c. à soupe] **de gros sel**
- **2 c. à thé** [2 c. à café] **de thym**
- **4 feuilles de laurier**

PRÉPARATION:

1. Blanchissez les tomates 2 minutes dans de l'eau bouillante.
   Refroidissez-les.
3. Pelez-les.
4. Coupez en morceaux. Déposez dans une casserole en fonte émaillée avec tous les autres ingrédients.
5. Faites mijoter 1 heure.
6. Brassez de temps à autre.
7. Vérifiez l'assaisonnement.
8. Enlevez les feuilles de laurier.

NOUILLES À LA SAUCE TOMATE À LA VIANDE HACHÉE

INGRÉDIENTS:

1 lb [500 grammes] **de nouilles aux oeufs**
4 pintes [4,5 litres] **d'eau bouillante**
2 c. à table [2 c. à soupe] **de gros sel**
1 c. à table [1 c. à soupe] **d'huile végétale**
Sauce tomate à la viande hachée, porc, veau et boeuf (recette page 119**)**

PRÉPARATION:

1. Faites bouillir l'eau.
2. Ajoutez le sel et l'huile.
3. Faites cuire les nouilles 5 minutes.
4. Egouttez.
5. Passez à l'eau froide.
6. Mélangez 1 tasse [*1 tasse à thé*] de nouilles à 2 tasses [*2 tasses à thé*] de sauce tomate à la viande. Faites ainsi jusqu'à ce que la provision de nouilles et de sauce à la viande soit épuisée.
7. Remplissez de ce mélange les récipients stérilisés en laissant un espace libre de ½ pouce [*1 centimètre*] en haut du bocal.
8. Faites stériliser dans un bain d'eau bouillante 180 minutes ou 90 minutes sous 10 livres de pression.
9. Refroidissez.

Pour servir: versez dans un plat à gratin beurré. Saupoudrez de chapelure. Faites dorer au four à 350 °F [175 °C].

SAUCE TOMATE À LA VIANDE HACHÉE: VEAU, PORC ET BOEUF

INGRÉDIENTS:

2 lb [1 kg] **de viande hachée, veau, porc et boeuf**
1/4 de tasse [1/2 décilitre] **d'huile**
2 oignons émincés
2 gousses d'ail
3 pintes [2 kg] **de tomates coupées en morceaux**
2 boîtes de pâte de tomate commerciale
2 carottes râpées
1 tasse [150 grammes] **de céleri coupé finement**
1 tasse [125 grammes] **de piment vert coupé en cubes**
1/2 c. à thé [1/2 c. à café] **d'origan**
1 feuille de laurier
1 c. à table [15 grammes] **de sucre**
2 c. à table [2 c. à soupe] **d'épices à marinade enveloppées dans du coton à fromage**
1 c. à thé [1 c. à café] **de piment rouge séché**

PRÉPARATION:

1. Chauffez l'huile dans une cocotte épaisse, faites revenir la viande hachée pendant 15 minutes en brassant.
2. Ajoutez les tomates blanchies 2 minutes et pelées, coupées en morceaux, ainsi que tous les autres ingrédients.
3. Faites bouillir 1 heure.
4. Vérifiez l'assaisonnement.
5. Enlevez les gousses d'ail, la feuille de laurier et les épices à marinade.

PÂTES ALIMENTAIRES "MANICOTTI"

INGRÉDIENTS:

- $\frac{1}{4}$ **lb** [125 grammes] **de pâtes alimentaires «manicotti»**
- **2 pintes** [2 litres] **d'eau bouillante**
- **1 c. à thé** [1 c. à café] **de sel**
- **1 c. à table** [1 c. à soupe] **d'huile d'olive**
- **Farce au veau (voir page** 121**)**
- **Sauce tomate à l'italienne page** 126 **)**
- **Fromage mozarella**

PRÉPARATION:

1. Faites cuire les pâtes alimentaires trouées, appelées «manicotti», dans l'eau bouillante salée et l'huile d'olive pendant 6 minutes.
2. Enlevez les pâtes à l'aide d'une cuillère spéciale.
3. Rincez à l'eau froide en faisant attention de ne pas les briser.
4. Farcissez-les.

FARCE AU VEAU

INGRÉDIENTS:

- 1/4 **de tasse** [60 grammes] **de beurre**
- **1 oignon émincé**
- **1 tasse** [30 grammes] **de mie de pain**
- **2 tasses** [300 grammes] **de veau cuit haché**
- **1 c. à thé** [1 c. à café] **de sel**
- **1 c. à table** [1 c. à soupe] **de persil haché**
- 1/2 **c. à thé** [1/2 c. à café] **de thym**
- **1 oeuf**

PRÉPARATION:

1. Faites r e v e n i r l'oignon émincé dans le beurre.
2. Ajoutez la mie de pain humectée, le veau, le sel, le persil et le thym.
3. Liez avec l'oeuf battu.
4. Laissez refroidir la farce avant de l'utiliser.
5. Farcissez les «manicotti».
6. Déposez-les dans un plat en pyrex huilé.
7. Recouvrez de sauce aux tomates à l'italienne.
8. Saupoudrez de fromage mozarella.
9. Faites gratiner au four à 350 °F [*175 °C*].

Servez dans le plat de cuisson.

RIZOTTO

INGRÉDIENTS:

2 lb [1 kg] **de riz à longs grains**
6 pintes [7 litres] **d'eau**
2 c. à table [2 c. à soupe] **de gros sel**
Sauce tomate passée au «blender» (voir page 128 **)**

PRÉPARATION:

1. Portez l'eau à ébullition.
2. Ajoutez le sel et le riz.
3. Faites bouillir 10 minutes.
4. Coulez.
5. Passez à l'eau froide.
6. Mélangez 1 tasse de riz [*1 tasse à thé*] à 3 tasses [*3 tasses à thé*] de sauce tomate passée au «blender».
7. Remplissez les contenants jusqu'à 1 pouce [*2 centimètres*] du bord.
8. Fermez.
9. Faites stériliser dans un bain d'eau bouillante 60 minutes ou 20 minutes sous 10 livres de pression.
10. Refroidissez.

Pour servir: versez dans un plat à gratin beurré. Déposez sur le dessus 8 tranches de bacon rôti. Chauffez au four à 350 °F [175 °C] pendant 30 minutes.

SPAGHETTI À LA SAUCE TOMATE

INGRÉDIENTS:

1 lb [500 grammes] **de spaghetti**
4 pintes [4,5 litres] **d'eau bouillante**
2 c. à table [2 c. à soupe] **de gros sel**
1 c. à thé [1 c. à café] **d'huile**
Sauce tomate
(voir page 124 **)**

PRÉPARATION:

1. Portez l'eau à ébullition.
2. Ajoutez le sel et l'huile.
3. Plongez le spaghetti dans l'eau bouillante, à mesure qu'il s'attendrit, se courbe et s'enroule dans l'eau bouillante.
4. Faites bouillir 10 minutes.
5. Egouttez dans une passoire.
6. Passez à l'eau froide.
7. Mélangez 1 tasse [*1 tasse à thé*] de spaghetti cuit à 2 tasses [*2 tasses à thé*] de sauce tomate.
8. Faites ainsi jusqu'à ce que la provision de pâtes alimentaires et de sauce tomate soit épuisée. Mélangez.
9. Remplissez les récipients jusqu'à ½ pouce [*1 cenmètre*] du bord.
10. Faites stériliser dans un bain d'eau bouillante 60 minutes ou 20 minutes sous 10 livres de pression.
11. Refroidissez.

Pour servir: versez dans un plat en pyrex beurré. Parsemez de noisettes de beurre. Saupoudrez de fromage canadien fort râpé. Faites gratiner au four à 350 °F [175 °C].

SAUCE TOMATE

INGRÉDIENTS:

4 pintes [2 kg 500] **de tomates coupées en morceaux**
1 tasse [125 grammes] **de piment vert haché fin**
1 tasse [125 grammes] **d'oignons émincés**
1 tasse [125 grammes] **de céleri haché fin**
1 feuille de laurier
1 gousse d'ail
¼ de tasse [60 grammes] **de gros sel**
½ c. à thé [½ c. à café] **de poivre**

PRÉPARATION:

1. Blanchissez les tomates 2 minutes dans de l'eau bouillante, refroidissez et pelez-les.
2. Déposez dans une casserole en fonte émaillée avec tous les autres ingrédients.
3. Faites mijoter 1 heure.
4. Vérifiez l'assaisonnement.
5. Enlevez la feuille de laurier et la gousse d'ail.

SPAGHETTI À LA SAUCE TOMATE AUX BOULETTES DE BOEUF

INGRÉDIENTS:

1 lb [500 grammes] **de spaghetti**
4 pintes [4,5 litres] **d'eau bouillante**
2 c. à table [2 c. à soupe] **de gros sel**
1 c. à table [1 c. à soupe] **d'huile**
Sauce tomate
Boulettes de boeuf

PRÉPARATION:

1. Portez l'eau à ébullition.
2. Ajoutez le sel et l'huile.
3. Faites bouillir le spaghetti 10 minutes.
4. Egouttez dans une passoire. Passez à l'eau froide.
5. Mélangez 1 tasse [*1 tasse à thé*] de spaghetti cuit à 2 tasses [*2 tasses à thé*] de sauce tomate aux boulettes de boeuf (mettre 4

petites boulettes par récipient de conserve). Faites ainsi jusqu'à ce que la provision de pâtes alimentaires, de sauce tomate et de boulettes de boeuf soit épuisée.

6. Remplissez de ce mélange les bocaux ou les boîtes stérilisés en laissant un espace libre de 1 pouce [*2,5 centimètres*] en haut du bocal.
7. Faites stériliser dans un bain d'eau bouillante 180 minutes ou 60 minutes sous 10 livres de pression.
8. Refroidissez.

Pour servir: versez dans un plat à gratin beurré. Faites chauffer au four à 350 °F [175 °C]

BOULETTES DE BOEUF

INGRÉDIENTS:

1/3 de tasse [90 grammes] **de beurre**
1 gros oignon émincé
3 lb [1 kg 500] **de boeuf haché**
sel et poivre

PRÉPARATION:

1. Chauffez le beurre, faites revenir l'oignon émincé.
2. Ajoutez le boeuf haché bien assaisonné de sel et de poivre et façonnez en boulettes.
3. Faites rôtir de tous côtés.

SAUCE TOMATE À L'ITALIENNE

INGRÉDIENTS:

- ½ **tasse** [⅛ de litre] **d'huile**
- **2 oignons émincés**
- **3 gousses d'ail coupées finement**
- **3 pintes** [2 kg] **de tomates coupées en morceaux**
- 1½ **lb** [750 grammes] **de boeuf haché**
- 1½ **lb** [750 grammes] **de porc haché**
- **2 c. à table** [2 c. à soupe] **de gros sel**
- **3 c. à table** [3 c. à soupe] **de persil haché**
- **1 c. à thé** [1 c. à café] **de basilic**
- **1 c. à thé** [1 c. à café] **d'origan**
- **2 c. à table** [30 grammes] **de sucre**

PRÉPARATION:

1. Faites revenir les oignons et l'ail dans l'huile.
2. Ajoutez les tomates blanchies, pelées et coupées en morceaux, ainsi que tous les autres ingrédients.
3. Faites bouillir 1 heure.
4. Vérifiez l'assaisonnement.
5. Remplissez les récipients jusqu'à ¼ de pouce [½ *centimètre*] du bord.
6. Stérilisez dans un bain d'eau bouillante 180 minutes ou 60 minutes sous 10 livres de pression.
7. Refroidissez.

Mettez en réserve pour préparer la lasagne aux nouilles vertes et autres pâtes alimentaires.

SAUCE TOMATE À L'ORIGAN

INGRÉDIENTS:

1/4 de tasse [1/2 décilitre] **d'huile**
3 tasses [375 grammes] **d'oignons émincés**
3 pintes [2 kg] **de tomates coupées en morceaux**
1/2 tasse [60 grammes] **de piment vert haché fin**
2 gousses d'ail écrasées
1/4 de tasse [90 grammes] **de sucre**
2 c. à table [2 c. à soupe] **de gros sel**
2 c. à thé [2 c. à café] **d'origan**
1/2 c. à thé [1/2 c. à café] **de poivre**
1 c. à thé [1 c. à café] **de thym**

PRÉPARATION:

1. Chauffez l'huile dans une cocotte épaisse, faites revenir les oignons émincés.
2. Ajoutez les tomates blanchies 2 minutes, refroidies, pelées et coupées en morceaux, ainsi que tous les autres ingrédients.
3. Faites bouillir 1 heure.
4. Vérifiez l'assaisonnement.
5. Passez au «blender».

SAUCE TOMATE PASSÉE AU "BLENDER"

INGRÉDIENTS:

4 pintes [2 kg 500] **de tomates**
1 boîte de concentré aux tomates (voir page 40)
1 tasse [125 grammes] **de piment rouge doux coupé en cubes**
1 tasse [150 grammes] **de céleri coupé**
1 tasse [125 grammes] **d'oignons émincés**
2 gousses d'ail
¼ de tasse [60 grammes] **de sucre**
2 c. à table [2 c. à soupe] **de gros sel**
½ c. à thé [½ c. à café] **de poivre**
½ c. à thé [½ c. à café] **d'origan**

PRÉPARATION:

1. Blanchissez, refroidissez et pelez les tomates, coupez-les en morceaux.
2. Déposez tous les ingrédients dans une cocotte en fonte émaillée.
3. Faites mijoter 1 heure, en brassant pour empêcher de coller.
4. Passez cette sauce au «blender».
5. Versez jusqu'à ½ pouce [*1 centimètre*] du bord, dans des bocaux de verre ou dans des boîtes en fer-blanc émaillées.
6. Fermez.
7. Stérilisez 60 minutes dans un bain d'eau bouillante ou 30 minutes sous 10 livres de pression.
8. Refroidissez.

SAUCE TOMATE QUÉBÉCOISE

Stérilisation: 60 minutes

INGRÉDIENTS:

- **4 pintes** [2 kg 500] **de tomates coupées en morceaux**
- **2 boîtes de concentré de tomate (voir page** 40**) ou**
- **4 boîtes de pâte de tomate du commerce**
- **1 tasse** [125 grammes] **de piment vert coupé en cubes**
- **⅔ de tasse** [100 grammes] **de céleri haché finement**
- **⅔ de tasse** [85 grammes] **d'oignons émincés**
- **2 feuilles de laurier**
- **½ c. à thé** [½ c. à café] **de poudre d'ail**
- **¼ de tasse** [60 grammes] **de sucre**
- **2 c. à table** [2 c. à soupe] **de gros sel**
- **½ c. à thé** [½ c. à café] **de poivre**

PRÉPARATION:

1. Blanchissez les tomates, refroidissez et pelez-les.
2. Ajoutez tous les ingrédients dans une casserole en fonte émaillée.
3. Faites bouillir, à feu lent, pendant 1 heure, en brassant souvent pour empêcher de coller.
4. Versez cette sauce jusqu'à ½ pouce [*1 centimètre*] du bord, dans des bocaux de verre ou des boîtes en ferblanc.
5. Fermez.
6. Stérilisez 60 minutes.

Cette sauce tomate québécoise peut être servie avec des pâtes alimentaires cuites 20 minutes à l'eau bouillante salée, refroidies, égouttées et déposées dans un plat à gratin beurré. Saupoudrez de fromage râpé. Gratinez au four.

VERMICELLE À LA SAUCE TOMATE AU BOEUF HACHÉ

Stérilisation: 120 minutes

INGRÉDIENTS:

1 lb [500 grammes] **de vermicelle**
4 pintes [4,5 litres] **d'eau bouillante**
2 c. à table [2 c. à soupe] **de gros sel**
1 c. à thé [1 c. à café] **d'huile**
Sauce tomate au boeuf haché **(voir page** 131 **)**

PRÉPARATION:

1. Faites bouillir l'eau.
2. Ajoutez le sel et l'huile.
3. Cuisez le vermicelle 5 minutes.
4. Egouttez.
5. Passez à l'eau froide.
6. Mélangez 3 tasses [*3 tasses à thé*] de vermicelle cuit à 6 tasses [*6 tasses à thé*] de sauce tomate à la viande.
7. Faites ainsi jusqu'à ce que la provision de pâtes alimentaires et de sauce tomate à la viande soit épuisée.
8. Mélangez.
9. Remplissez les récipients de ce mélange en laissant un espace libre de ½ pouce [*1 centimètre*] en haut du bocal.
10. Faites stériliser dans un bain d'eau bouillante 120 minutes.
11. Refroidissez.

Pour servir: versez dans un plat à gratin beurré. Saupoudrez de chapelure et de quelques noisettes de beurre. Faites gratiner au four à 350 °F [*175 °C*].

SAUCE TOMATE AU BOEUF HACHÉ

INGRÉDIENTS:

- **2 lb** [1 kilo] **de boeuf haché**
- **$\frac{3}{4}$ de tasse** [100 grammes] **de céleri haché fin**
- **$\frac{1}{2}$ tasse** [60 grammes] **d'oignons émincés**
- **4 tasses** [1 litre] **de jus de tomates**
- **2 pintes** [1 kg 200] **de tomates coupées en morceaux**
- **1 c. à thé** [1 c. à café] **d'origan**
- **$\frac{1}{2}$ c. à thé** [$\frac{1}{2}$ c. à café] **de thym**
- **2 c. à table** [30 grammes] **de sucre**
- **1 c. à table** [1 c. à soupe] **de gros sel**
- **$\frac{1}{2}$ c. à thé** [$\frac{1}{2}$ c. à café] **de poivre**
- **1 gousse d'ail**

PRÉPARATION:

1. Blanchissez les tomates 2 minutes dans de l'eau bouillante.
2. Refroidissez-les.
3. Pelez-les.
4. Coupez en morceaux.
5. Mettez dans une casserole émaillée avec tous les autres ingrédients.
6. Faites mijoter 1 heure.
7. Vérifiez l'assaisonnement.
8. Enlevez la gousse d'ail.

SAUCE TOMATE AUX BOULETTES DE BOEUF

INGRÉDIENTS:

- **3 pintes** [2 kg] **de tomates coupées en morceaux**
- **½ tasse** [60 grammes] **de piment vert haché fin**
- **1 tasse** [125 grammes] **d'oignons émincés**
- **1 tasse** [100 grammes] **de champignons hachés**
- **½ tasse** [75 grammes] **de céleri haché finement**
- **2 c. à table** [30 grammes] **de sucre**
- **2 c. à table** [2 c. à soupe] **de gros sel**
- **1 gousse d'ail**
- **8 clous de girofle**

PRÉPARATION:

1. Blanchissez les tomates 2 minutes à l'eau bouillante, refroidissez, pelez.
2. Déposez dans une casserole en fonte émaillée.
3. Faites mijoter 45 minutes.
4. Ajoutez les boulettes de boeuf. [Voir page 125].
5. Continuez la cuisson 15 minutes.
6. Enlevez la gousse d'ail et les clous de girofle.

Les Conserves de fruits et de jus de fruits

Voir pages 159 à 164 pour la marche à suivre.

MISE EN CONSERVE DES FRUITS

RENDEMENT APPROXIMATIF

FRUITS	*GENRES DE CONTENANTS (Boîte, casseau, panier, cageot)*	*Poids des fruits (lb)*	*Quantité approx. de fruits en conserves (pintes)*
ABRICOTS	Boîte (Vu-Pak)	15	9
	Cageot de 4 paniers	20	12
CERISES	Panier de 6 pintes	8	5
	Cageot de 4 paniers	20	13
FRAISES	12 casseaux d'une pinte	15	12
	24 casseaux d'une chopine	15	12
PÊCHES	Panier de 6 pintes	8	4
	Empaquetage cloisonné	16-17	8-9
	Boîte (Vu-Pak)	16-17	8-9
PETITS FRUITS SAUF LES FRAISES	12 casseaux d'une pinte	15	12
	24 casseaux d'une chopine	15	12
POIRES	Panier de 6 pintes (comble)	11	5
	Boîte	42	18-20
	Boîte (Handi-Pak)	17½	8-9
	Boîte (Vu-Pak)	18½	9-10
PRUNES ET PRUNEAUX	Panier de 6 pintes	8	5
	Boîte (Vu-Pak)	17	10

Quantité de sirop

En vous servant du tableau indicateur ci-dessus, déterminez la quantité de sirop requise pour les fruits à mettre en conserve. Faites le sirop avant de préparer les fruits en ajoutant l'eau au sucre et amenant au point d'ébullition. Ecumez le sirop si c'est nécessaire et gardez chaud.

POUR PRÉVENIR LA DÉCOLORATION

L'acide ascorbique (Vitamine C) aide à prévenir la décoloration des fruits de couleur pâle, conservés dans les bocaux de verre. Elle se vend en poudre, en cristaux ou en comprimés. Mettez l'acide au fond du bocal à raison de 1/16 c. à thé (en poudre ou en cristaux) ou de 200 milligrammes (en comprimés) pour chaque bocal d'une chopine [½ litre] ou d'une pinte [1 litre]. Remplissez de fruits. Après la stérilisation, laissez refroidir les bocaux puis renversez-les une couple de fois pour permettre à l'acide ascorbique de se répartir uniformément.

DENSITÉ DES SIROPS
pour conserver des fruits

SIROP TRÈS CLAIR

INGRÉDIENTS:

2 tasses [400 grammes] de sucre
6 tasses [1 litre½] d'eau

PRÉPARATION:

1. Ajoutez le sucre à l'eau.
2. Amenez à ébullition.
3. Laissez bouillir 2 minutes.
4. Utilisez chaud.

SIROP CLAIR

INGRÉDIENTS:

2 tasses [400 grammes] de sucre
4 tasses [1 litre] d'eau

PRÉPARATION:

1. Même mode de préparation que pour le sirop très clair.

SIROP MOYEN

INGRÉDIENTS:

2 tasses [400 grammes] de sucre
2 tasses [½ litre] d'eau

PRÉPARATION:

Même mode de préparation que pour le sirop très clair.

SIROP ÉPAIS	
INGRÉDIENTS:	**PRÉPARATION:**
2 tasses [400 grammes] de sucre 1½ tasse [3/8 de litre] d'eau	Même mode de préparation que pour le sirop très clair.

SIROP MOYEN AU MIEL	
INGRÉDIENTS:	**PRÉPARATION:**
1½ tasse [300 grammes] de ½ tasse [½ tasse à thé] de miel blanc 2 tasses [½ litre] d'eau	1. Ajoutez le sucre et le miel à l'eau. 2. Amenez lentement au point d'ébullition. 3. Laissez bouillir 2 minutes. 4. Utilisez chaud.

Mise en conserve des fruits

PROCÉDÉS SPÉCIAUX

AU SUCRE SEC (SOLIDE)

On recommande spécialement cette méthode pour la rhubarbe, les bleuets et les cerises qui serviront à faire des tartes ou des poudings, mais elle peut aussi s'appliquer dans le cas des autres fruits.

Lavez, préparez les fruits et écrasez-en une partie au fond de la marmite. Ajoutez le reste des fruits et faites chauffer pendant quelques minutes en brassant occasionnellement et, si c'est nécessaire, ajoutez un peu d"eau pour empêcher de coller au fond. Remplissez les bocaux ou les boîtes en saupoudrant entre les couches de fruits la quantité de sucre recommandée pour les conserves au sucre sec et en tassant un peu les fruits pour qu'ils soient couverts de jus. Laissez un espace de tête et stérilisez.

AU SUCRE SEC (AVEC LIQUIDE)

Remplissez la moitié du bocal ou de la boîte avec des fruits, puis ajoutez du sucre et des fruits en couches alternantes. Couvrez les fruits d'eau bouillante, laissant un espace de tête. Bouchez les récipients et inclinez plusieurs fois pour dissoudre le sucre. Stérilisez.

QUANTITÉS DE SUCRE À UTILISER DANS LE PROCÉDÉ À SUCRE SEC

Pour un bocal d'une pinte [1 litre] (Gros fruits)		Pour un bocal d'une pinte [1 litre] (Petits fruits)	
Sucre	Equivalent en sirop	Sucre	Equivalent en sirop
1/2 tasse	Très clair	1/3 tasse	Très clair
2/3 tasse	Clair	1/2 tasse	Clair
3/4 tasse	Modérément clair	2/3 tasse	Modérément clair
1 tasse	Moyen	3/4 tasse	Moyen
1 1/4 tasse	Epais	1 tasse	Epais

SANS SUCRE

Suivez le procédé pour conserves solides mais supprimez le sucre. Ce n'est pas le sucre qui est l'agent de conservation mais plutôt la bonne stérilisation et l'emploi de bocaux fermant hermétiquement. Cependant, la plupart des fruits conservent mieux leur couleur lorsqu'on ajoute du sucre.

À CRU

Ce procédé peut s'appliquer aux framboises, aux fraises et à la rhubarbe. Remplissez de fruits crus des boîtes ou des bocaux stérilisés; recouvrez de sirop bouillant en laissant un espace de tête. Bouchez hermétiquement. Mettez plusieurs épaisseurs de papier de journal en dessous et au fond d'une cuve; placez-y les contenants. Versez suffisamment d'eau bouillante pour dépasser les contenants d'au moins 3 pouces [7,5 centimètres]. Ayez soin de ne pas verser d'eau bouillante directement sur les contenants. Remettez le couvercle. Laissez reposer 10 à 12 heures.

BLEUETS OU MYRTILLES

INGRÉDIENTS:

Bleuets
Sirop moyen **(voir page** 136**)**

PRÉPARATION:

1. Triez et lavez les bleuets.
2. Déposez dans une passoire.
3. Blanchissez 1 minute dans de l'eau bouillante.
4. Refroidissez dans de l'eau froide.
5. Mettez dans les contenants stérilisés. Remplissez jusqu'à ¼ de pouce [½ *centimètre*] du bord (espace de tête) avec du sirop moyen.
6. Fermez les récipients.
7. Stérilisez 15 minutes dans une grande casserole contenant de l'eau bouillante ou 10 minutes sous 5 livres de pression.

Pour servir: diluez avec de l'eau. Ajoutez du sucre si c'est nécessaire ou utilisez pour faire des grand'pères aux bleuets *(voir page* 210*)*.

CERISES

INGRÉDIENTS:

Cerises cultivées
Sirop moyen (voir page 136)

PRÉPARATION:

1. Lavez les cerises.
2. Enlevez les feuilles et les pédoncules.
3. Déposez dans des contenants stérilisés.
4. Remplissez jusqu'à 1/4 de pouce [1/2 *centimètre*] du bord, de sirop moyen chaud.
5. Fermez.
6. Stérilisez 16 minutes dans une grande casserole d'eau bouillante ou 10 minutes sous 5 livres de pression.
7. Refroidissez.

Servez avec des biscuits à la farine d'avoine (voir page 205 *).*

FRAMBOISES

INGRÉDIENTS:

Framboises
Sirop moyen (voir page 136)

PRÉPARATION:

1. Nettoyez les framboises.
2. Déposez dans les contenants stérilisés.
3. Remplissez jusqu'à 1/2 pouce [*1 centimètre*] du bord, de sirop moyen bouillant.
4. Fermez les récipients.
5. Stérilisez 16 minutes dans une grande marmite d'eau bouillante ou 8 minutes sous 5 livres de pression.
6 Refroidissez.

Servez avec du blanc-manger (voir page 207 *).*

FRAISES

INGRÉDIENTS:

Fraises
Sirop moyen (voir page 136)

PRÉPARATION:

1. Lavez les fraises.
2. Enlevez les pédoncules.
3. Déposez immédiatement dans les contenants stérilisés.
4. Remplissez jusqu'à ½ pouce [*1 centimètre*] du bord, de sirop moyen bouillant.
5. Fermez les bocaux.
6. Stérilisez 16 minutes dans une grande casserole d'eau bouillante ou 10 minutes sous 5 livres de pression.
7. Refroidissez.

Servez avec une gelée ivoire (voir page 209 *).*

PÊCHES

INGRÉDIENTS:

Pêches
Sirop clair **(voir page** 136 **)**

PRÉPARATION:

1. Blanchissez les pêches à l'eau bouillante jusqu'à ce que la peau se fendille.
2. Plongez dans de l'eau froide.
3. Pelez.
4. Coupez en deux.
5. Enlevez le noyau.
6. Déposez dans des contenants stérilisés.
7. Remplissez jusqu'à ¼ de pouce [½ *centimètre*] du bord, de sirop clair chaud
8. Fermez les récipients.
9. Stérilisez 16 minutes dans une grande marmite d'eau bouillante ou 8 minutes sous 5 livres de pression.
10. Refroidissez.

Servez avec du riz au lait à la vanille *(voir page* 214 *).*

PIMENTS VERTS OU ROUGES DOUX

INGRÉDIENTS:

Piments verts ou rouges
Eau bouillante
Sel

PRÉPARATION:

1. Lavez les piments.
2. Faites blanchir 10 minutes dans un bain d'eau bouillante ou dans un four très chaud (450° F [*225° C*]) à à 8 minutes, tournez plusieurs fois.
3. Refroidissez
4. Pelez.
5. Coupez en 2 ou en 4.
6. Enlevez les semences.
7. Remplissez les contenants sans mettre d'eau. Ajoutez ½ c. à thé [*½ c. à café*] de sel.
8. Fermez les récipients.
9. Stérilisez dans une grande marmite d'eau bouillante pendant 40 minutes ou 20 minutes sous 10 livres de pression.
10. Refroidissez.

POIRES

INGRÉDIENTS:

Poires
Sirop de miel (voir page 137)

PRÉPARATION:

1. Pelez les poires.
2. Coupez-les en moitiés.
3. Otez le coeur.
4. Blanchissez 2 minutes.
5. Refroidissez.
6. Déposez dans des contenants stérilisés.
7. Remplissez jusqu'à ¼ de pouce [½ *centimètre*] du bord, de sirop au miel bouillant.
8. Fermez.
9. Stérilisez 20 minutes dans un bain d'eau bouillante ou 10 minutes sous 5 livres de pression.
10. Refroidissez.

Servez avec une crème au tapioca (voir page 208).

POMMES

INGRÉDIENTS:

Pommes
Sirop très clair (voir page 136)

PRÉPARATION:

1. Pelez les pommes.
2. Coupez en 4.
3. Enlevez le coeur.
4. Déposez dans de l'eau froide salée (pour les empêcher de noircir).
5. Mettez dans un panier métallique.
6. Blanchissez 1 minute.
7. Refroidissez.
8. Remplissez les contenants stérilisés.
9. Couvrez de sirop très clair chaud.
10. Fermez.
11. Stérilisez 20 minutes dans un bain d'eau bouillante ou 10 minutes sous 5 livres de pression.
12. Refroidissez.

Servez avec des biscuits aromatisés à la muscade (voir page 206).

PURÉE DE POMMES

INGRÉDIENTS:

5 lb [2 kg 500] **de pommes**
2 tasses [½ litre] **d'eau**
2 tasses [400 grammes] **de sucre**
1 c. à thé [1 c. à café] **de zeste de citron**

PRÉPARATION:

1. Lavez les pommes.
2. Pelez.
3. Enlevez le coeur.
4. Coupez en morceaux.
5. Déposez dans de l'eau froide salée (cette précaution empêche les pommes de noircir).
6. Versez l'eau salée.
7. Rincez.
8. Faites cuire 10 minutes avec l'eau dans une casserole couverte.
9. Ajoutez le sucre.
10. Continuez la cuisson 5 minutes.
11. Ajoutez le zeste de citron.
12. Déposez dans des contenants stérilisés.
13. Remplissez de purée jusqu'à ¼ de pouce [½ *centimètre*] du bord.
14. Fermez.
15. Stérilisez 20 minutes dans un bain d'eau bouillante ou 10 minutes sous 10 livres de pression.
16. Refroidissez.

Servez avec des petits gâteaux vite fait *(voir page* 211*).*

PRUNES

INGRÉDIENTS:

Prunes blanches ou bleues
Sirop épais (voir page 136)

PRÉPARATION:

1. Lavez les prunes.
2. Laissez-les rondes ou coupez-les en moitiés et dénoyautez-les.
3. Amenez à ébullition dans le sirop et laissez mijoter 2 minutes.
4. Remplissez les contenants du produit chaud jusqu'à ¼ de pouce [½ *centimètre*], laissant un espace de tête.
5. Fermez les récipients.
6. Stérilisez 16 minutes, sans interruption, dans une grande casserole d'eau bouillante ou 8 minutes sous 5 livres de pression.
7. Refroidissez.

Servez avec des biscuits roulés à la farine d'avoine (voir page 207).

RHUBARBE

INGRÉDIENTS:

Rhubarbe
Sirop moyen (voir page 136**)**

PRÉPARATION:

1. Lavez la rhubarbe.
2. Coupez-la en morceaux.
3. Blanchissez-la 2 minutes.
4. Passez-la à l'eau froide.
5. Déposez-la dans des contenants stérilisés.
6. Remplissez, en laissant un espace de tête de 1/4 de pouce [1/2 *centimètre*] de sirop moyen bouillant
7. Fermez.
8. Stérilisez 20 minutes, sans interruption, dans une grande casserole d'eau bouillante ou 15 minutes sous 5 livres de pression.
9. Refroidissez.

Utilisez pour faire un pouding à la rhubarbe (voir page. 213).

TOMATES

INGRÉDIENTS:

Tomates mûres
Sel

PRÉPARATION:

1. Lavez les tomates.
2. Plongez-les dans une bassine d'eau bouillante pendant 2 minutes, ou mieux jusqu'à ce que la peau se fendille.
3. Retirez.
4. Refroidissez.
5. Pelez.
6. Enlevez le pédoncule, les parties dures et vertes.
7. Déposez entières dans les bocaux ou les boîtes.
8. Pressez pour remplir les vides.
9. Ajoutez le sel.
10. Fermez.
11. Stérilisez 30 minutes dans un bain d'eau bouillante ou 25 minutes sous 5 livres de pression.
12. Refroidissez.

TOMATES ET PIMENTS VERTS

INGRÉDIENTS:

Tomates
Piments verts
Eau bouillante
Sel

PRÉPARATION:

1. Lavez les tomates, plongez-les dans un bain d'eau bouillante pendant 2 minutes, ou mieux, jusqu'à ce que la peau se fendille.
2. Refroidissez.
3. Pelez.
4. Enlevez le pédoncule et les parties dures et vertes.
5. Coupez en gros morceaux.
6. Lavez les piments, blanchissez-les 5 minutes.
7. Refroidissez, pelez, enlevez les semences et coupez les piments en petits cubes.
8. Mélangez les tomates et les piments.
9. Remplissez les contenants jusqu'à ¼ de pouce [½ *centimètre*] du bord.
10. Ajoutez ½ c. à thé [½ *c. à café*] de sel (pas d'eau).
11. Fermez les récipients.
12. Stérilisez 40 minutes dans une grande marmite d'eau bouillante ou 20 minutes sous 10 livres de pression.
13. Refroidissez.

JUS D'ATOCAS (airelles ou canneberges)

INGRÉDIENTS:

4 pintes [2 kg 500] **d'atocas (airelles)**
4 pintes [4,5 litres] **d'eau**
4 tasses [800 grammes] **de sucre**

PRÉPARATION:

1. Triez et lavez les atocas.
2. Déposez-les dans une cocotte en fonte émaillée.
3. Ecrasez avec un pilon.
4. Ajoutez l'eau et le sucre.
5. Amenez doucement au point d'ébullition.
6. Laissez mijoter 15 minutes.
7. Coulez à travers une passoire recouverte d'un coton à fromage.
8. Versez dans des bocaux de verre stérilisés.
9. Fermez.
10. Stérilisez 15 minutes dans un bain d'eau bouillante ou 10 minutes sous 5 livres de pression.
11. Refroidissez.

Diluez avec de l'eau pour servir ou utilisez pour faire un cocktail.

JUS DE BLEUETS (myrtilles)

INGRÉDIENTS:

4 pintes [2 kg 500] **de bleuets**
2 pintes [2 litres] **d'eau**
2 tasses [400 grammes] **de sucre**

PRÉPARATION:

1. Triez les bleuets.
2. Lavez-les, mettez-les dans une cocotte en fonte émaillée.
4. Ecrasez-les avec un pilon.
5. Saupoudrez de sucre.
6. Ajoutez l'eau.
7. Amenez doucement au point d'ébullition.
8. Laissez mijoter 15 minutes.
9. Coulez à travers une passoire recouverte d'un coton à fromage.
10. Versez dans des bocaux de verre stérilisés.
11. Fermez.
12. Stérilisez 15 minutes dans un bain d'eau bouillante ou 10 minutes sous 5 livres de pression.
13. Refroidissez.

Diluez avec de l'eau pour servir ou utilisez pour faire un punch.

JUS DE FRAMBOISES

INGRÉDIENTS:

4 pintes [2 kg 500] **de framboises**
2 pintes [2 litres] **d'eau**
2 tasses [400 grammes] **de sucre**

PRÉPARATION:

1. Triez les framboises.
2. Déposez-les dans une cocotte en fonte émaillée.
3. Ecrasez avec un pilon.
4. Saupoudrez de sucre.
5. Ajoutez l'eau.
6. Amenez doucement au point d'ébullition.
7. Laissez mijoter 15 minutes.
8. Coulez à travers une passoire recouverte d'un coton à fromage.
9. Versez dans des bocaux de verre stérilisés.
10. Fermez.
11. Stérilisez 15 minutes dans un bain d'eau bouillante ou 10 minutes sous 5 livres de pression.
12. Refroidissez.

Pour servir: diluez avec de l'eau ou utilisez pour faire un cocktail.

JUS DE GADELLES ROUGES

INGRÉDIENTS:

4 pintes [2 kg 500] **de gadelles rouges**
3 pintes [3,5 litres] **d'eau**
2 tasses [400 grammes] **de sucre**

PRÉPARATION:

1. Lavez les gadelles.
2. Déposez-les dans une cocotte en fonte émaillée.
3. Ecrasez avec un pilon.
4. Ajoutez l'eau et le sucre.
5. Faites mijoter pendant 15 minutes.
6. Remuez de temps en temps.
7. Versez le jus dans un sac à gelée.
8. Laissez égoutter toute une nuit.
9. Remettez sur le feu.
10. Chauffez jusqu'au point d'ébullition.
11. Versez dans des bocaux de verre stérilisés en laissant un espace libre de 1/4 de pouce [1/2 *centimètre*] en haut du bocal.
12. Fermez.
13. Stérilisez 15 minutes dans un bain d'eau bouillante ou 10 minutes sous 5 livres de pression.
14. Refroidissez.

Vous pouvez utiliser pour faire un punch.

JUS DE RAISINS BLEUS

INGRÉDIENTS:

4 pintes [2 kg 500] **de raisins bleus**
2 pintes [2 litres] **d'eau**
Sucre

PRÉPARATION:

1. Egrenez les raisins.
2. Lavez-les.
3. Déposez-les dans une cocotte en fonte émaillée.
4. Ecrasez avec un pilon.
5. Ajoutez l'eau.
6. Amenez à ébullition, faites mijoter 20 minutes.
7. Remuez de temps en temps.
8. Versez dans un sac à gelée.
9. Laissez égoutter toute une nuit.
10. Mesurez le liquide.
11. Ajoutez à chaque tasse de jus ½ tasse [*120 grammes*] de sucre.
12. Remettez sur le feu, amenez à ébullition, faites bouillir 1 minute.
13. Versez le jus de raisins chaud dans des bocaux de verre stérilisés en laissant un espace libre de ¼ de pouce [*½ centimètre*] en haut du bocal.
14. Fermez les bocaux.
15. Stérilisez 15 minutes dans un bain d'eau bouillante ou 10 minutes sous 5 livres de pression.
16. Refroidissez.

Pour servir: diluez avec de l'eau. Ajoutez du sucre si c'est nécessaire ou utilisez pour faire un punch.

JUS DE RHUBARBE

INGRÉDIENTS:

4 pintes [2 kg 500] **de rhubarbe**
3 pintes [3,5 litres] **d'eau**
4 tasses [800 grammes] **de sucre**

PRÉPARATION:

1. Lavez la rhubarbe (ne pas la peler).
2. Coupez-la en bouts de 1 pouce [*2,5 centimètres*].
3. Mettez dans une casserole, ajoutez l'eau et le sucre.
4. Amenez au point d'ébullition en brassant.
5. Laissez mijoter 20 minutes.
6. Coulez à travers une passoire recouverte d'un coton à fromage.
7. Versez ce jus dans des bocaux de verre stérilisés en laissant un espace libre de ¼ de pouce [*½ centimètre*] en haut du bocal.
8. Fermez.
9. Stérilisez 15 minutes dans un bain d'eau bouillante ou 10 minutes sous 5 livres de pression.
10. Refroidissez.
11. Gardez en réserve.

Diluez avec de l'eau pour servir ou utilisez pour faire un punch.

Les Confitures

Confitures

Les confitures, gelées et marmelades entrent dans la catégorie des desserts; ce sont des préparations à base de fruits, cuites dans un sirop épais. Elles apportent de la variété aux repas, elles agrémentent les menus par leur saveur délicieuse.

Contrairement aux conserves de fruits, on ne fait pas stériliser les confitures, gelées et marmelades parce qu'elles sont préparées avec une plus grande quantité de sucre.

Pour réussir les confitures, gelées et marmelades et les garder en bon état, il faut respecter certaines règles qui sont:

1 — Lavez et rincez les bocaux, stérilisez-les 20 minutes [*125° C*], retirez-les au fur et à mesure que vous en avez besoin et refroidissez-les un peu avant de les remplir.

2 — Utilisez des fruits pas trop mûrs parce qu'ils contiennent plus de pectine.

3 — Triez et lavez les fruits avant de les faire cuire. Les fraises et les framboises doivent être lavées avant d'être équeutées.

4 — Préparez confitures, gelées et marmelades en petites quantités, elles cuiront plus rapidement, elles seront moins foncées et auront plus de saveur.

5 — Evitez de faire bouillir confitures et gelées avant que le sucre soit fondu: si l'ébullition commence trop vite, le sucre n'aura pas le temps de se dissoudre et vous retrouverez des cristaux dans le fond des bocaux.

6 — Ecumez les confitures, gelées et marmelades pendant la cuisson.

7 — Pour éviter que les petits fruits remontent à la surface des confitures, on conseille de les laisser refroidir parfaitement et de les brasser avant de les empoter.

8 — Laissez un espace libre de 1/4 de pouce [*1/2 centimètre*] en haut du bocal afin d'empêcher le liquide de couler lorsque l'on ajoute la paraffine.

9 — Couvrez la surface de la gelée d'une couche mince de paraffine. Une corde ou ficelle dépassant d'au moins un pouce [*2,5 centimètres*] de chaque côté est ensuite appliquée sur la première couche de paraffine chaude que l'on recouvre d'au moins 1 c. à table [*1 c. à soupe*] de paraffine chaude. Cette précaution permettra de soulever facilement la galette de paraffine sans recourir au couteau ou à tout autre instrument qui pourrait déguiser l'apparence de gel lors du service.

10 — Fermez les récipients. Etiquetez. Enveloppez. Gardez dans un endroit frais, sec et à l'abri de la lumière.

CONFITURE DE BLEUETS (myrtilles)

INGRÉDIENTS:

4 lb [2 kg] **de bleuets**
4 lb [2 kg] **de sucre**

PRÉPARATION:

1. Lavez les bleuets.
2. Egouttez-les.
3. Enlevez les feuilles et les bleuets verts.
4. Déposez un rang de bleuets dans une casserole en fonte émaillée.
5. Saupoudrez un rang de sucre. Continuez ainsi jusqu'à épuisement des fruits et du sucre.
6. Laissez reposer toute une nuit.
7. Le lendemain, égouttez les fruits.
8. Faites bouillir le liquide jusqu'à ce qu'il soit épais.
9. Ajoutez les bleuets, faites mijoter environ 15 minutes.
10. Ecumez pendant la cuisson.
11. Mettez dans des bocaux stérilisés et chauds.
12. Refroidissez.
13. Paraffinez.

CONFITURE À LA CITROUILLE

INGRÉDIENTS:

4 lb [2 kg] **de citrouille ou 16 tasses**
8 tasses [2 kg] **de sucre**
4 tasses [1 litre] **d'eau**
zeste et jus de 2 citrons et de 2 oranges

PRÉPARATION:

1. Pelez et coupez la citrouille; enlevez les graines.
2. Coupez en petits cubes.
3. Etendez sur un linge au moins une nuit pour faire sécher.
4. Mettez le sucre et l'eau dans une casserole.
5. Faites bouillir 10 à 15 minutes.
6. Ajoutez la citrouille et le zeste.
7. Cuisez jusqu'à transparence et, en dernier, ajoutez les jus.

CONFITURE DE FRAISES

INGRÉDIENTS:

8 tasses [1 kilo] **de fraises**
8 tasses [1 kilo] **de sucre**

PRÉPARATION:

1. Lavez les fraises.
2. Egouttez.
3. Equeutez.
4. Déposez un rang de fraises dans une casserole en fonte émaillée ou en acier inoxydable.
5. Ajoutez un rang de sucre.
6. Continuez ainsi jusqu'à épuisement des fraises et du sucre.
7. Laissez reposer toute une nuit; le lendemain, faites cuire à feu doux jusqu'à ce que le sucre soit fondu puis faites bouillir jusqu'à ce que le thermomètre marque 220 °F [*33 °C au pèse-sirop ou 104-105 °C*].
8. Laissez refroidir dans le même récipient.
9. Remuez avant de verser dans des pots stérilisés.
10. Paraffinez.

CONFITURE DE FRAMBOISES

INGRÉDIENTS:

8 tasses [1 kilo] **de framboises**
6 tasses [750 grammes] **de sucre**
2 tasses [½ litre] **d'eau**

PRÉPARATION:

1. Faites bouillir le sucre et l'eau jusqu'à ce que le sirop fasse un fil.
2. Ajoutez les framboises.
3. Faites bouillir 10 minutes.
4. Laissez refroidir avant de verser dans des pots stérilisés.
5. Paraffinez.

CONFITURE DE FRAMBOISES ET DE GADELLES ROUGES

INGRÉDIENTS:

8 tasses [1 kilo] **de framboises**
4 tasses [500 grammes] **de gadelles rouges**
2 tasses [½ litre] **d'eau**
8 tasses [1 kg 500] **de sucre**

PRÉPARATION:

1. Placez le sucre et l'eau dans une casserole.
2. Amenez à ébullition en brassant.
3. Faites bouillir jusqu'à l'obtention d'un fil.
4. Ajoutez les framboises et les gadelles rouges.
5. Faites bouillir 10 minutes.
6. Laissez refroidir avant de verser dans des pots à confiture stérilisés.
7. Paraffinez.

CONFITURE DE FRAMBOISES ET DE POMMES

INGRÉDIENTS:

8 tasses [1 kilo] **de pommes sûres, coupées en cubes**
4 tasses [500 grammes] **de framboises**
6 tasses [1 kg 200] **de sucre**
2 tasses [½ litre] **d'eau**

PRÉPARATION:

1. Placez le sucre et l'eau dans une casserole.
2. Amenez à ébullition en brassant.
3. Faites bouillir le sucre et l'eau jusqu'à ce que le sirop fasse des fils.
4. Ajoutez les pommes pelées, coupées en petits cubes.
5. Faites mijoter 5 minutes.
6. Ajoutez les framboises.
7. Continuez la cuisson à feu vif pendant 10 minutes.
8. Refroidissez.
9. Mettez dans des pots à confiture.
10. Paraffinez.

CONFITURE DE KUMQUATS

(petites oranges spéciales)

INGRÉDIENTS:

- **4 tasses** [500 grammes] **de kumquats**
- **1½ tasse** [⅜ de litre] **d'eau**
- **3 tasses** [500 grammes] **de sucre**
- **¼ de tasse** [½ décilitre] **de jus de citron**
- **8 clous de girofle entiers**

PRÉPARATION:

1. Faites bouillir l'eau, le sucre, le jus de citron et les clous de girofle pendant 5 minutes.
2. Ajoutez les kumquats et faites mijoter 20 minutes.
3. Enlevez les clous de girofle.
4. Versez dans des pots à confiture stérilisés.
5. Paraffinez.

CONFITURE DE MELON

INGRÉDIENTS:

4 lb [2 kg] **de melon**
3½ lb [1 kg 500] **de sucre**
½ tasse [⅛ de litre] **d'eau**
2 citrons

PRÉPARATION:

1. Tranchez les melons.
2. Enlevez les membranes et les semences.
3. Coupez en petits cubes.
4. Déposez dans une casserole en acier inoxydable avec le sucre et l'eau toute une nuit.
5. Coulez.
6. Faites bouillir ce liquide avec les citrons finement tranchés, jusqu'à formation de fils.
7. Ajoutez les petits cubes de melon.
8. Faites mijoter jusqu'à ce que la confiture devienne transparente.
9. Empotez dans des bocaux stérilisés.
10. Paraffinez.

CONFITURE DE PETITES TOMATES JAUNES (poires)

INGRÉDIENTS:

6 tasses [1 kg 500] **de petites tomates jaunes**
4 tasses [800 grammes] **de sucre granulé**
1 tasse [$\frac{1}{4}$ de litre] **d'eau**
2 citrons tranchés minces

PRÉPARATION:

1. Lavez les petites tomates.
2. Plongez-les 2 minutes dans de l'eau bouillante.
3. Enlevez la peau.
4. Faites un sirop épais avec le sucre et l'eau, déposez les tomates.
5. Faites bouillir 5 minutes.
6. Coulez.
7. Ajoutez les tranches de citron au liquide.
8. Faites cuire à grande ébullition jusqu'à ce que le thermomètre marque 220 °F [*33° au pèse-sirop ou 104-105 °C*]; à ce moment, ajoutez les tomates.
9. Faites bouillir jusqu'à ce qu'elles deviennent transparentes.
10. Versez dans des pots stérilisés.
11. Paraffinez.

CONFITURE DE POMMES AU CITRON

INGRÉDIENTS:

2 citrons
10 grosses pommes
2 zestes de citron
2 tasses [400 grammes] **de sucre**

PRÉPARATION:

1. Lavez les citrons.
2. Enlevez les zestes.
3. Extrayez les jus.
4. Râpez les pommes, mêlez-les au jus de citron.
5. Ajoutez le sucre et les zestes.
6. Faites cuire à feu doux dans une casserole émaillée jusqu'à ce que le sucre soit fondu.
7. Faites bouillir jusqu'à ce que les pommes deviennent transparentes.
8. Laissez refroidir.
9. Empotez.
10. Paraffinez.

CONFITURE DE POMMETTES (crab-apple)

INGRÉDIENTS:

2 pintes [1 kg] **de pommettes**
Eau
Sucre

PRÉPARATION:

1. Lavez les pommettes (ne pas enlever les pédoncules).
2. Déposez dans un poêlon.
3. Recouvrez d'eau froide.
4. Mettez un couvercle pour empêcher que les fruits montent à la surface.
5. Faites cuire 10 minutes à feu moyen.
6. Retirez les pommettes.
7. Mesurez l'eau de cuisson.
8. Ajoutez pour chaque tasse de liquide, ½ tasse de sucre.
9. Faites bouillir jusqu'à ce que le sucre soit fondu.
10. Ajoutez les pommettes.
11. Faites cuire à feu vif jusqu'à ce que le sirop devienne épais ou jusqu'à 220 °F [*30° au pèse-sirop ou 105 °C*].
12. Versez chaud dans des récipients stérilisés.
13. Paraffinez.

Cette confiture se sert avec des viandes froides. C'est délicieux et très apprécié en hiver.

CONFITURE DE POTIRON

INGRÉDIENTS:

5 lb [2 kg 500] **de potiron**
5 lb [2 kg 500] **de sucre**
4 citrons

PRÉPARATION:

1. Tranchez le potiron.
2. Enlevez les membranes et les semences. Pelez. Coupez en petits morceaux.
3. Pesez. Déposez dans une casserole émaillée avec le sucre.
4. Laissez reposer toute une nuit.
5. Coulez.
6. Faites bouillir ce liquide avec les citrons finement tranchés jusqu'à 240 °F [*39° au pèse-sirop ou 116 °C*].
7. Ajoutez les petits morceaux de potiron.
8. Faites mijoter jusqu'à ce que la confiture devienne transparente.
9. Empotez chaud dans des bocaux stérilisés.
10. Paraffinez.

CONFITURE DE PRUNES BLANCHES

INGRÉDIENTS:

8 lb [4 kg] **de prunes blanches**
6 lb [3 kg] **de sucre**
4 tasses [1 litre] **d'eau**

PRÉPARATION:

1. Faites bouillir le sucre et l'eau jusqu'à la formation d'un sirop épais; à ce moment, ajoutez les prunes.
2. Laissez en ébullition 10 minutes.
3. Ecumer.
4. Passez à travers un tamis.
5. Faites bouillir le sirop 10 minutes.
6. Ajoutez les prunes, continuez la cuisson jusqu'à ce que les fruits deviennent transparents.
7. Versez dans des bocaux stérilisés.
8. Laissez refroidir.
9. Paraffinez.

CONFITURE DE PRUNES BLEUES

INGRÉDIENTS:

8 tasses [1 kg 500] **de prunes bleues**
7 tasses [1 kg 500] **de sucre**
2 jus d'orange
1 c. à table [1 c. à soupe] **de zeste d'orange**

PRÉPARATION:

1. Lavez les prunes.
2. Coupez-les en deux.
3. Enlevez les noyaux.
4. Mesurez.
5. Déposez un rang de prunes dans une cocotte en fonte émaillée, un rang de sucre et ainsi de suite jusqu'à ce que le tout soit épuisé.
6. Laissez reposer quelques heures.
7. Faites cuire, à découvert, à petit feu, environ 20 minutes, en brassant souvent.
8. Ajoutez les jus d'orange et le zeste.
9. Continuez la cuisson 10 minutes.
10. Versez dans des bocaux de verre stérilisés.
11. Laissez refroidir.
12. Paraffinez.

CONFITURE DE PETITES TOMATES ROUGES (bijou)

INGRÉDIENTS:

6 tasses [1 kg 500] **de petites tomates bijou**
4 tasses [750 grammes] **de sucre**
1 tasse [¼ de litre] **d'eau**
2 citrons tranchés minces

PRÉPARATION:

1. Essuyez les petites tomates, plongez-les 2 minutes dans de l'eau bouillante (peu à la fois).
2. Enlevez la peau.
3. Faites un sirop épais avec le sucre et l'eau.
4. Ajoutez les petites tomates.
5. Faites bouillir 5 minutes.
6. Coulez.
7. Ajoutez les tranches de citron au liquide.
8. Faites bouillir jusqu'à ce que le sirop épaississe.
9. Ajoutez, à ce moment, les tomates.
10. Faites bouillir à nouveau jusqu'à ce qu'elles deviennent transparentes.
11. Versez dans des pots stérilisés.

CONFITURE DE RHUBARBE ET D'ANANAS

INGRÉDIENTS:

12 tasses [2 kg] **de rhubarbe**
6 tasses [1 kg 250] **d'ananas en conserve coupés en petits cubes**
4 tasses [800 grammes] **de sucre**

PRÉPARATION:

1. Lavez la rhubarbe.
2. Pelez-les.
3. Coupez en morceaux de 1 pouce [*2,5 centimètres*].
4. Etendez la rhubarbe sur 2 doubles de coton à fromage.
5. Recouvrez également de coton à fromage.
6. Laissez sécher toute une nuit.
7. Placez la rhubarbe dans une casserole en fonte émaillée.
8. Ajoutez les ananas coupés en petits cubes, leur sirop et le sucre.
9. Faites mijoter jusqu'à épaississement, ce qui demande environ 1 heure.
10. Versez dans des bocaux stérilisés.
11. Paraffinez.
12. Fermez.

Les Gelées

Gelées

GELÉE DE BLEUETS

INGRÉDIENTS:

9 tasses [1 kg 750] **de bleuets mûrs**
3 tasses [500 grammes] **de bleuets non rendus à maturité**
2 tasses [½ litre] **d'eau**
Sucre

PRÉPARATION:

1. Triez et lavez les bleuets.
2. Ecrasez-les afin de libérer un peu de jus.
3. Ajoutez l'eau.
4. Faites bouillir 15 minutes.
5. Déposez cette purée sur un coton épinglé sur un plat.
6. Laissez égoutter toute une nuit.
7. Faites bouillir le jus jusqu'à ce qu'il ait diminué de moitié.
8. Mesurez le liquide.
9. Comptez ¾ de tasse [*150 grammes*] de sucre pour 1 tasse [*¼ litre*] de jus. Faites cuire en brassant jusqu'à ce que le sucre soit dissous.
10. Ecumez.
11. Faites bouillir jusqu'à 220 °F [*33° au pèse-sirop ou 104-105 °C*] ou jusqu'à ce que la gelée nappe la cuillère.
12. Versez immédiatement dans des verres à gelée stérilisés.
13. Refroidissez.
14. Paraffinez.
15. Fermez.

GELÉE À LA MENTHE

INGRÉDIENTS:

25 à 30 pommes
Eau
Sucre
12 branches de menthe fraîche
Colorant vert

PRÉPARATION:

1. Lavez les pommes.
2. Enlevez les pédoncules.
3. Coupez-les en 4.
4. Couvrez-les d'eau froide.
5. Faites cuire jusqu'à ce que les fruits soient tendres.
6. Déposez cette purée sur un coton épinglé sur un plat pour les égoutter. Ne pressez pas.
7. Laissez égoutter toute une nuit.
8. Faites bouillir le jus jusqu'à ce qu'il ait diminué de moitié.
9. Mesurez le liquide.
10. Comptez ¾ de tasse [*150 grammes*] de sucre pour 1 tasse [*¼ de litre*] de jus.
11. Brassez jusqu'à ce que le sucre soit dissous.
12. Ajoutez 12 branches de menthe attachées ensemble.
13. Faites bouillir jusqu'à 220 °F [*33° au pèse-sirop ou 104-105 °C*] ou jusqu'à ce que la gelée nappe la cuillère.
14. Ajoutez le colorant vert.
15. Enlevez les branches de menthe.
16. Versez immédiatement

dans des verres à gelée stérilisés.
17. Laissez refroidir.
18. Paraffinez.
19. Fermez.

GELÉE D'ATOCAS

INGRÉDIENTS:

8 tasses [1 kg 500] **d'atocas (airelles)**
4 tasses [1 litre] **d'eau bouillante**
4 tasses [1 kilo] **de sucre**

PRÉPARATION:

1. Triez et lavez les atocas, mettez-les dans une casserole en fonte émaillée.
2. Ajoutez l'eau.
3. Faites bouillir 10 minutes.
4. Passez à travers un tamis.
5. Faites bouillir ce liquide 3 minutes.
6. Ajoutez le sucre.
7. Brassez pour dissoudre.
8. Continuez l'ébullition 5 minutes.
9. Versez dans des verres à gelée.
10. Laissez refroidir.
11. Paraffinez.
12. Fermez.

GELÉE DE FRAMBOISES À LA PECTINE

INGRÉDIENTS:

- 2½ **pintes** [1 kg 200] **de framboises**
- ½ **tasse** [⅛ de litre] **d'eau**
- 7½ **tasses** [1 kg 500] **de sucre**
- **Jus de 1 citron**
- **1 bouteille de pectine commerciale**

PRÉPARATION:

1. Déposez les framboises dans un plat.
2. Ajoutez l'eau et le jus de citron.
3. Ecrasez avec un pilon.
4. Mettez les fruits sur un coton épinglé sur un plat.
5. Laissez égoutter toute une nuit, ce qui donnera 4 tasses [*1 litre*] de jus.
6. Mélangez le sucre au liquide.
7. Brassez pour dissoudre.
8. Amenez à ébullition, sur un feu vif.
9. Ajoutez la pectine liquide.
10. Faites bouillir à grande ébullition pendant 1 minute en remuant avec une cuillère de bois.
11. Ecumez.
12. Versez la gelée chaude dans des verres stérilisés.
13. Laissez refroidir.
14. Paraffinez.
15. Fermez.

NOTE: Si on se sert de pectine commerciale pour faire la gelée, il est à conseiller de suivre les instructions du fabricant.

GELÉE DE FRAMBOISES ET DE GADELLES ROUGES

INGRÉDIENTS:

8 tasses [1 kilo] **de framboises**
4 tasses [500 grammes] **de gadelles rouges**
Eau
Sucre

PRÉPARATION:

1. Choisissez framboises et gadelles pas trop mûres.
2. Nettoyez-les.
3. Déposez dans une casserole en fonte émaillée.
4. Recouvrez d'eau.
5. Faites bouillir 10 minutes.
6. Déposez cette purée dans un sac à gelée.
7. Laissez égoutter toute une nuit.
8. Faites bouillir le jus pendant 10 minutes.
9. Mesurez le liquide.
10. Comptez ¾ de tasse [*150 grammes*] de sucre pour 1 tasse [*¼ de litre*] de jus.
11. Brassez jusqu'à ce que le sucre soit dissous.
12. Faites bouillir jusqu'à 220 °F [*33° au pèse-sirop ou 104-105 °C*] ou jusqu'à ce que la gelée nappe la cuillère.
13. Ecumez pendant la cuisson.
14. Versez immédiatement dans des verres à gelée stérilisés.
15. Laissez refroidir.
16. Paraffinez.
17. Fermez.

GELÉE DE POMMES

INGRÉDIENTS:

25 à 30 pommes

PRÉPARATION:

a) Préparation du jus

1. Lavez et coupez les pommes.
2. Laissez la pelure et le coeur.
3. Mettez de l'eau froide à l'égalité des fruits.
4. Cuisez en marmelade.
5. Quand les pommes sont cuites, déposez sur un coton épinglé sur un plat pour les égoutter. Ne pressez pas.

INGRÉDIENTS:

2 tasses [½ litre] **de jus**
1½ à 2 tasses [350 à 400 grammes] **de sucre**

PRÉPARATION:

b) Cuisson du jus

1. Mettez le jus dans une casserole, laissez bouillir 5 minutes.
2. Ajoutez le sucre.
3. Ecumez 2 fois durant la cuisson.
4. Faites cuire jusqu'à 220 °F [*33° au pèse-sirop ou 104-105 °C*] ou bien jusqu'à ce que deux gouttes jumelles s'attachent à la cuiller.
5. Passez la gelée à travers une mousseline humide.
6. Versez dans des bocaux stérilisés.
7. Laissez refroidir.
8. Paraffinez.
9. Fermez.

GELÉE DE POMMETTES À LA PECTINE

INGRÉDIENTS:

3 pintes [2 kg 500] **de**]
pommettes coupées en 4
6½ tasses [1 litre ¾] **d'eau**
7 tasses [1 kg 500] **de sucre**
½ bouteille de pectine commerciale

PRÉPARATION:

1. Lavez les pommettes.
2. Enlevez les pédoncules.
3. Coupez en 4 (ne les pelez pas, n'enlevez pas les coeurs).
4. Déposez dans une casserole en acier inoxydable.
5. Ajoutez l'eau.
6. Faites mijoter 20 minutes.
7. Déposez les fruits sur un coton épinglé sur un plat.
8. Laissez égoutter toute une nuit.
9. Mélangez le sucre chauffé au four et le jus.
10. Amenez à ébullition sur un feu vif.
11. Ajoutez la pectine liquide.
12. Faites bouillir à grande ébullition pendant 1 minute en remuant avec une cuillère de bois.
13. Ecumez.
14. Versez dans des verres à gelée stérilisés.
15. Laissez refroidir.
16. Paraffinez.
17. Fermez.

GELÉE DE RAISINS BLEUS À LA PECTINE

INGRÉDIENTS:

- **3 pintes** [1 kg 500] **de raisins bleus**
- **1 tasse** [1/4 de litre] **d'eau**
- **1/4 de tasse** [1/2 décilitre] **de jus de citron**
- **7 tasses** [1 kg 500] **de sucre**
- **1/2 bouteille de pectine commerciale**

PRÉPARATION:

1. Enlevez le raisin des grappes.
2. Lavez.
3. Déposez dans une casserole.
4. Ajoutez l'eau et le jus de citron.
5. Ecrasez au pilon.
6. Faites mijoter 15 minutes.
7. Déposez les fruits sur un coton épinglé sur un plat.
8. Laissez égoutter toute une nuit.
9. Mélangez le sucre au jus, brassez pour dissoudre.
10. Amenez à ébullition sur un feu vif.
11. Ajoutez la pectine liquide.
12. Faites bouillir à grande ébullition pendant 1 minute en remuant avec une cuillère de bois.
13. Ecumez.
14. Versez la gelée chaude dans des verres stérilisés.
15. Laissez refroidir.
16. Paraffinez.
17. Mettez le couvercle.

Les Marmelades

Marmelades

MARMELADE D'ABRICOTS

INGRÉDIENTS:

4 lb [2 kg] **d'abricots secs**
eau froide
sucre

PRÉPARATION:

1. Lavez les abricots, faites-les tremper toute une nuit dans suffisamment d'eau froide pour couvrir les fruits.
2. Faites bouillir dans la même eau environ 10 minutes.
3. Passez au «blender».
4. Ajoutez par tasse de pulpe [*1/4 de litre*], 3/4 de tasse [*180 grammes*] de sucre.
5. Remettez à cuire doucement, en brassant, pour fondre le sucre, puis faites bouillir 15 minutes.
6. Versez dans des verres à gelée.
7. Laissez refroidir.
8. Paraffinez.

MARMELADE AUX 3 FRUITS

INGRÉDIENTS:

3 pamplemousses
3 citrons
12 oranges
eau
sucre

PRÉPARATION:

1. Lavez les fruits.
2. Pelez-les.
3. Coupez la pulpe en petits morceaux en rejetant les pépins et les membranes.
4. Enlevez la partie blanche des écorces (qui communique de l'amertume à la marmelade).
5. Taillez celles-ci en minces filets.
6. Ajoutez à la pulpe des 3 fruits.
7. Mesurez.
8. Ajoutez 3 fois la même quantité d'eau.
9. Laissez reposer toute une nuit.
10. Faites bouillir 12 minutes.
11. Laissez reposer encore 6 heures, ensuite faites mijoter jusqu'à ce que les fruits deviennent tendres.
12. Mesurez.
13. Mettez autant de sucre que de liquide.
14. Faites cuire jusqu'à ce que la marmelade se forme ou jusqu'à 220 °F [*33° au pèse-sirop ou 104-105 °C*].

15. Versez dans des verres stérilisés.
16. Paraffinez.
17. Versez une seconde couche de paraffine un peu plus épaisse.
18. Mettez le couvercle.

MARMELADE D'ANANAS

INGRÉDIENTS:

2 ananas
sucre

PRÉPARATION:

1. Coupez les ananas en tranches.
2. Pelez-les.
3. Enlevez les parties dures.
4. Passez au hache-viande.
5. Mesurez la pulpe.
6. Ajoutez à chaque tasse [*1/4 de litre*] de liquide, 3/4 tasse [*180 grammes*] de sucre.
7. Laissez macérer toute une nuit.
8. Faites cuire à feu très bas jusqu'à ce que le sucre soit complètement fondu.
9. Faites mijoter jusqu'à une consistance épaisse ou jusqu'à 220 °F [*33° au pèse-sirop ou 104-105 °C*].
10. Laissez tiédir.
11. Empotez dans des verres stérilisés.

MARMELADE DE CITRONS

INGRÉDIENTS:

12 citrons
eau
sucre

PRÉPARATION:

1. Lavez les citrons.
2. Essuyez et pelez-les.
3. Enlevez la partie blanche.
5. Coupez la pulpe en petits morceaux en rejetant pépins et membranes.
6. Taillez le zeste de 6 citrons en minces filets en vous aidant de ciseaux.
7. Ajoutez à la pulpe.
8. Mesurez zeste et pulpe; pour chaque tasse [¼ *de litre*], ajoutez 3 fois la même quantité d'eau [¾ *de litre*].
9. Déposez le tout dans une cocotte en fonte émaillée.
10. Laissez reposer 12 heures.
11. Faites bouillir 15 minutes.
12. Laissez en repos 6 heures; ensuite, faites mijoter jusqu'à ce que les fruits deviennent tendres.
13. Mesurez.
14. Mettez autant de sucre que de liquide. Faites bouillir jusqu'à ce que la marmelade se forme ou jusqu'à 220 °F [*33° au pèse-sirop ou 104-105 °C*].
15. Laissez tiédir.
16. Empotez dans des verres stérilisés.
17. Paraffinez.

MARMELADE D'ORANGES

INGRÉDIENTS:

12 oranges
eau
sucre

PRÉPARATION:

1. Lavez les oranges.
2. Coupez en rondelles aussi minces que possible.
3. Enlevez les pépins et les membranes.
4. Pour chaque tasse [*150 grammes*] de fruits, ajoutez $1\frac{1}{2}$ tasse [*$\frac{3}{8}$ de litre*] d'eau.
5. Laissez reposer 12 heures.
6. Le lendemain faites bouillir 10 minutes.
7. Laissez reposer 6 heures encore, ensuite faites mijoter jusqu'à ce que les fruits deviennent tendres.
8. Mesurez.
9. Ajoutez à chaque tasse [*$\frac{1}{4}$ de litre*] de liquide, $\frac{3}{4}$ de tasse [*150 grammes*] de sucre.
10. Faites bouillir jusqu'à 220 °F [*33° au pèse-sirop ou 104-105 °C*].
11. Laissez tiédir.
12. Empotez dans des verres stérilisés.
13. Paraffinez.

MARMELADE DE PAMPLEMOUSSES ET DE CITRONS

INGRÉDIENTS:

6 pamplemousses
2 citrons
eau
sucre

PRÉPARATION:

1. Lavez les pamplemousses et les citrons.
2. Pelez-les.
3. Enlevez la partie blanche.
4. Coupez la pulpe des fruits en petits morceaux en rejetant pépins et membranes.
5. Taillez le zeste de la moitié des agrumes, en minces filets, en vous aidant de ciseaux.
6. Ajoutez à la pulpe.
7. Mesurez; pour chaque tasse [*150 grammes*] de fruits, ajoutez 3 fois la même quantité d'eau [*3/4 de litre*].
8. Déposez le tout dans une cocotte en fonte émaillée.
9. Laissez reposer 12 heures.
10. Faites bouillir 15 minutes.
11. Laissez en repos 6 heures; ensuite, faites mijoter jusqu'à ce que les fruits deviennent tendres.
12. Mesurez.
13. Mettez autant de sucre que de liquide.

14. Faites bouillir jusqu'à ce que la marmelade se forme ou jusqu'à 220 °F [*33 au pèse-sirop ou 104-105 °C*].
15. Laissez tiédir.
16. Empotez dans des verres stérilisés.
17. Paraffinez.

MARMELADE DE POIRES ET D'ANANAS

INGRÉDIENTS:

12 poires fraîches
1 tasse [250 grammes] **d'ananas déchiqueté**
5 tasses [1 kilo 250] **de sucre**
1 jus de citron
1 zeste de citron
1 c. à thé [1 c. à café] **de gingembre en poudre**

PRÉPARATION:

1. Pelez.
2. Coupez les poires en 4.
3. Enlevez le coeur.
4. Coupez très finement.
5. Déposez dans une casserole en fonte émaillée.
6. Ajoutez l'ananas, le sucre, le jus, le zeste de citron et le gingembre.
7. Amenez au point d'ébullition, laissez mijoter environ 40 minutes.
8. Brassez souvent pendant la cuisson.
9. Empotez dans des verres stérilisés.
10. Paraffinez.

MARMELADE DE RHUBARBE

INGRÉDIENTS:

12 tasses [2 kg 500] **de rhubarbe**
4 jus d'orange
2 jus de citron
2 zestes de citron

PRÉPARATION:

1. Lavez la rhubarbe.
2. Pelez-la.
3. Coupez en petits morceaux.
4. Mesurez 12 tasses [*2 kg 500*].
5. Mettez dans une casserole en fonte émaillée.
6. Ajoutez 10 tasses [*2 kilos*] de sucre, les jus d'orange et de citron, ainsi que les zestes.
7. Portez à ébullition.
8. Laissez mijoter jusqu'à consistance de marmelade.
9. Laissez tiédir.
10. Empotez dans des verres stérilisés.
11. Paraffinez.

Les recettes pour utiliser et servir les conserves de fruits et de jus de fruits

BISCUITS À LA CUILLÈRE À LA FARINE D'AVOINE

INGRÉDIENTS:

¼ de tasse [60 grammes] **de beurre**
¼ de tasse [60 grammes] **de graisse végétale**
½ tasse [½ tasse à thé] **de cassonade foncée**
1 tasse [150 grammes] **de farine tout usage**
1 tasse [150 grammes] **de farine d'avoine**
2 à 4 c. à table [2 à 4 c. à soupe] **d'eau chaude**
½ c. à thé [½ c. à café] **de soda à pâte (bicarbonate de soude)**
1 c. à thé [1 c. à café] **de zeste d'orange**

PRÉPARATION:

1. Crémez le gras, ajoutez graduellement la cassonade, en brassant.
2. Ajoutez l'eau chaude.
3. Tamisez la farine, mesurez, ajoutez le soda à pâte et le sel.
4. Faites entrer le mélange farine dans la première préparation.
5. En dernier, la farine d'avoine et le zeste d'orange.
6. Déposez par cuillerée sur une tôle à biscuits.
7. Cuire au four à 350° F [*160° C*] 10 à 12 min.

BISCUITS À LA MUSCADE

INGRÉDIENTS:

- ¼ **de tasse** [60 grammes] **de beurre**
- ¾ **tasse** [150 grammes] **de sucre**
- 2 **oeufs**
- 2 **c. à table** [2 c. à soupe] **de miel chaud**
- 3 **tasses** [450 grammes] **de farine tout usage**
- 1 **c. à thé** [1 c. à café] **de poudre à pâte**
- ½ **c. à thé** [½ c. à café] **de soda à pâte (bicarbonate de soude)**
- ½ **c. à thé** [½ c. à café] **de muscade**

PRÉPARATION:

1. Crémez le beurre.
2. Ajoutez graduellement le sucre, les oeufs battus et le miel chaud.
3. Tamisez la farine, mesurez, ajoutez la poudre à pâte, le soda et la muscade.
4. Etendez cette pâte très mince.
5. Découpez-la à l'emporte-pièce.
6. Cuire au four à 350° F [*180° C*] quelques minutes.

BISCUITS ROULÉS À LA FARINE D'AVOINE

INGRÉDIENTS:

1 tasse [150 grammes] **de farine d'avoine fine**
1 tasse [150 grammes] **de farine tout usage**
¼ tasse [50 grammes] **de sucre**
¼ c. à thé [¼ c. à café] **de sel**
¼ c. à thé [¼ c. à café] **de soda à pâte (bicarbonate de soude)**
¼ de tasse [60 grammes] **de beurre fondu**
¼ de tasse [1 décilitre] **d'eau chaude**
1 oeuf

PRÉPARATION:

1. Mêlez parfaitement la farine d'avoine, la farine tout usage, le sucre, le sel et le soda à pâte.
2. Ajoutez le beurre fondu dans l'eau chaude.
3. Liez le tout avec l'oeuf battu.
4. Travaillez la pâte sur une planche enfarinée.
5. Façonner des rouleaux.
6. Enveloppez de papier ciré.
7. Faites congeler.
8. Découpez en fines rondelles.
9. Faites cuire au four à 350° F [*175° C*].

BLANC-MANGER

INGRÉDIENTS:

2 tasses [½ litre] **de lait**
¼ tasse [50 grammes] **de sucre**
¼ tasse [25 grammes] **de fécule de maïs**
¼ tasse [½ décilitre] **d'eau froide**
½ c. à thé [½ c. à café] **de vanille**

PRÉPARATION:

1. Chauffez le lait.
2. Ajoutez le sucre et la fécule de maïs délayée avec de l'eau froide.
3. Faites bouillir, en brassant, 3 minutes.
4. Versez dans des coupes.

Vous pouvez servir ce blanc-manger chaud ou froid.

CRÈME AU TAPIOCA

INGRÉDIENTS:

2 tasses [1/2 litre] **de lait**
1/4 de tasse [4 c. à soupe] **de tapioca minute**
1/4 de tasse [50 grammes] **de sucre**
2 oeufs
1/4 c. à thé [1/2 c. à café] **de vanille**

PRÉPARATION:

1. Chauffez le lait.
2. Ajoutez le tapioca en pluie.
3. Faites cuire jusqu'à ce qu'il soit transparent.
4. Ajoutez le sucre.
5. Battez les jaunes d'oeufs, réchauffez-les avec quelque cuillerées de tapioca.
6. Ajoutez à la préparation sans faire bouillir.
7. Incorporez les blancs d'oeufs montés en neige.
8. Parfumez à la vanille.
9. Versez dans des coupes.

Vous pouvez servir cette crème au tapioca chaude ou froide.

GELÉE IVOIRE

INGRÉDIENTS:

- **2 tasses** [½ litre] **de lait**
- **¼ de tasse** [50 grammes] **de sucre**
- **1½ c. à table** [1½ c. à soupe] **de gélatine**
- **¼ de tasse** [½ décilitre] **d'eau froide**
- **½ c. à thé** [½ c. à café] **de vanille**

PRÉPARATION:

1. Gonflez la gélatine à l'eau froide.
2. Chauffez le lait.
3. Ajoutez la gélatine gonflée.
4. Brassez pour dissoudre.
5. Ajoutez le sucre et la vanille.
6. Versez dans de petits moules huilés.
7. Démoulez au moment de servir.

GRAND'PÈRES AUX BLEUETS (ou myrtilles)

INGRÉDIENTS:

- **1 tasse** [150 grammes] **de farine tout usage**
- **2 c. à thé** [2 c. à café] **de poudre à pâte**
- **1/4 c. à thé** [1/4 c. à café] **de sel**
- **3 c. à table** [45 grammes] **de beurre**
- **1/3 de tasse** [1 décilitre] **de lait**
- **1 bocal de bleuets en conserve (ou myrtilles)**

PRÉPARATION:

1. Tamisez la farine, mesurez, et ajoutez la poudre à pâte et le sel.
2. Incorporez la matière grasse à l'aide de 2 couteaux.
3. Ajoutez le lait et mélangez vivement.
4. Faites tomber la pâte, par cuillerée, dans les bleuets chauffés au préalable, auxquels on a ajouté 2 fois leur volume d'eau et du sucre au goût.
5. Faites pocher jusqu'à ce que les grand'pères soient cuits.

PETITS GÂTEAUX VITE FAIT

INGRÉDIENTS:

- ¼ **de tasse** [60 grammes] **de beurre**
- ½ **tasse** [100 grammes] **de sucre fin**
- **1 oeuf**
- 1½ **tasse** [225 grammes] **de farine**
- **2 c. à thé** [2 c. à café] **de poudre à pâte**
- ¼ **c. à thé** [¼ c. à café] **de sel**
- ½ **tasse** [⅛ de litre] **de lait**
- ½ **c. à thé** [½ c. à café] **de zeste de citron**

PRÉPARATION:

1. Crémez le beurre.
2. Ajoutez le sucre graduellement, puis l'oeuf et le zeste de citron.
3. Tamisez la farine, mesurez, ajoutez la poudre à pâte et le sel.
4. Faites entrer dans le premier mélange en alternant avec le lait.
5. Versez dans de petits moules à muffins graissés. Faites cuire au four à 375° F [*180° C*] 10 à 12 minutes.

MIEL ARTIFICIEL

INGRÉDIENTS:

- **4 tasses** [800 grammes] **de sucre**
- **¼ de tasse** [4 c. à soupe] **de sirop de maïs**
- **1 tasse** [¼ de litre] **d'eau bouillante**
- **30 fleurs effeuillées de trèfle blanc**
- **2 fleurs effeuillées de roses blanches**

PRÉPARATION:

1. Déposez le sucre, le sirop de maïs et l'eau bouillante dans une cocotte en fonte émaillée.
2. Ajoutez les pétales de trèfle blanc et de roses blanches.
3. Faites mijoter jusqu'à consistance de miel.
4. Coulez.
5. Versez dans des verres stérilisés.
6. Laissez refroidir.

Mettez en réserve.

POUDING À LA RHUBARBE

INGRÉDIENTS:

- 1/4 **de tasse** [60 grammes] **de graisse végétale**
- 1/2 **tasse** [100 grammes] **de sucre**
- 1 **oeuf**
- 1 1/2 **tasse** [225 grammes] **de farine tout usage**
- 2 1/2 **c. à thé** [2 1/2 c. à café] **de poudre à pâte**
- 1/4 **c. à thé** [1/4 c. à café] **de sel**
- 1/2 **tasse** [1/8 de litre] **de lait**
- 1 **boîte de rhubarbe en conserve**

PRÉPARATION:

1. Crémez le gras.
2. Ajoutez graduellement le sucre en battant entre chaque addition.
3. Ajoutez l'oeuf en continuant de battre jusqu'à ce que le mélange soit léger.
4. Tamisez la farine, mesurez, ajoutez la poudre à pâte et le sel.
5. Faites entrer dans le premier mélange en alternant avec le lait.
6. Beurrez un moule en pyrex, versez le contenu d'une boîte de conserve à la rhubarbe.
7. Sucrez au goût.
8. Recouvrez de pâte.
9. Faites cuire au four à 350° F [*175° C*] *25 à 30 minutes* ou jusqu'à ce que ce soit presque doré.

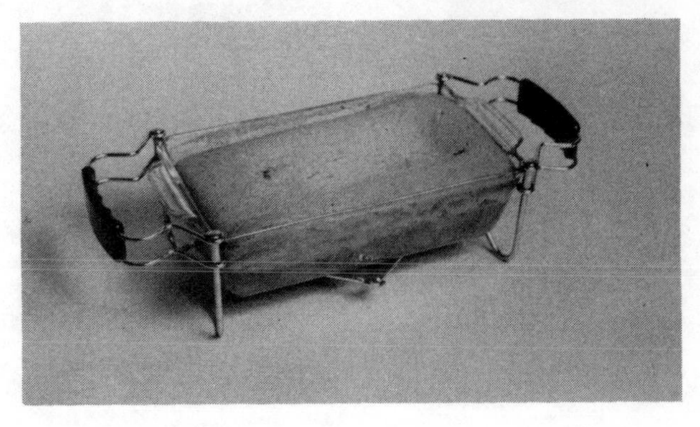

RIZ AU LAIT À LA VANILLE

INGRÉDIENTS:

- **2½ tasses** [200 grammes] **de riz non cuit ou** [300 grammes] **de riz cuit**
- **½ tasse** [⅛ de litre] **de lait**
- **½ tasse** [⅛ de litre] **de crème à 15%**
- **⅓ de tasse** [75 grammes] **de sucre**
- **1 c. à thé** [10 grammes] **de beurre**
- **¾ c. à thé** [¾ c. à café] **de vanille**

PRÉPARATION:

1. Faites cuire le riz, 20 minunutes, à l'eau bouillante salée.
2. Egouttez.
3. Passez à l'eau froide.
4. Remettez dans la casserole.
5. Ajoutez le lait, la crème et le sucre.
6. Couvrez.
7. Faites cuire à feu doux environ 10 minutes en brassant de temps en temps.
8. Ajoutez le beurre et la vanille.

Servez chaud.

COCKTAIL AU JUS D'ATOCAS

INGRÉDIENTS:

1 tasse [¼ de litre] **de jus d'atocas**
2 jus de citron
¼ de tasse [½ décilitre] **de sirop d'érable**
1 blanc d'oeuf
8 onces [¼ de litre] **de rhum**

PRÉPARATION:

1. Mettez dans un mélangeur (shaker) les jus d'atocas et de citron, le sirop d'érable, le rhum et la glace concassée.
2. Brassez vigoureusement.

Servez dans des verres à cocktail.

COCKTAIL AU JUS DE FRAMBOISE

INGRÉDIENTS:

1 tasse [¼ de litre] **de jus de framboises**
1 tasse [¼ de litre] **de jus de pamplemousse**
¼ de tasse [½ décilitre] **de miel blanc**
2 tasses [½ litre] **de gin sec**
Glace concassée

PRÉPARATION:

1. Mettez dans un mélangeur (shaker) les jus de framboise et de pamplemousse, le miel, le gin et la glace concassée.
2. Brassez vigoureusement.

Servez dans des verres à cocktail.

PUNCH AU JUS DE RHUBARBE

INGRÉDIENTS:

1 bocal de jus de rhubarbe
4 tasses [1 litre] **d'eau**
½ tasse [100 grammes] **de sucre**
¼ de tasse [1 décilitre] **de jus de citron**
1 grosse bouteille de «cream soda»

PRÉPARATION:

1. Mettez le sucre et l'eau dans une casserole en fonte émaillée.
2. Brassez pour dissoudre.
3. Amenez à ébullition et faites bouillir 1 minute.
4. Laissez refroidir.
5. Ajoutez les jus de rhubarbe et de citron.
6. Versez ce liquide dans un bol à punch, à moitié rempli de glaçons: ajoutez le «cream soda» au moment de servir.

PUNCH AU JUS DE RAISIN BLEU

INGRÉDIENTS:

1 bocal de jus de raisin en conserve
2 jus de citron
4 jus d'orange
8 tasses [2 litres] **d'eau**
1 tasse [200 grammes] **de sucre**
Glaçons

PRÉPARATION:

1. Déposez le sucre et l'eau dans une casserole en fonte émaillée.
2. Amenez à ébullition en brassant.
3. Faites bouillir 1 minute.
4. Laissez refroidir.
5. Ajoutez les jus de raisin, de citron et d'orange.
6. Versez ce liquide dans un grand bol à punch à moitié rempli de glaçons.

PUNCH AU JUS DE GADELLE ROUGE

INGRÉDIENTS:

2 pintes [2 litres] **d'eau**
1 tasse [200 grammes] **de sucre**
1 boîte de jus de gadelle
4 citrons
Glace concassée
1 bouteille de «ginger ale»

PRÉPARATION:

1. Mettez le sucre et l'eau dans une casserole.
2. Brassez pour dissoudre le sucre.
3. Amenez à ébullition, laissez mijoter 5 minutes.
4. Refroidissez.
5. Ajoutez les jus de gadelle et de citron, la glace concassée.
6. Au moment de servir, ajoutez le «ginger ale».

PUNCH AU JUS DE BLEUET (myrtille)

INGRÉDIENTS:

1 bocal de jus de bleuet
2 jus de citron
2 jus d'orange
1 jus de lime
8 tasses [2 litres] **d'eau**
1 tasse [200 grammes] **de sucre (ou plus au goût)**

Servez avec des glaçons.

PRÉPARATION:

1. Portez l'eau à ébullition.
2. Ajoutez le sucre.
3. Faites bouillir 1 minute.
4. Refroidissez.
5. Ajoutez les jus de bleuet, de citron, d'orange et de lime.
6. Réfrigérez.

Les Marinades

MARINADES

Les achars (relish), les catsups, les chutney, les sauces Chili sont des marinades préparées à base de légumes, de sucre, de vinaigre et d'épices.

Toutes ces préparations doivent être d'un goût agréable qui est le résultat d'un mélange de saveur acide, salée, sucrée et épicée obtenue par la cuisson.

Pour réussir ces spécialités et bien d'autres formules que nous donnons dans ce chapitre il faut, comme pour les conserves et les confitures, observer certaines règle qui sont:

1. Choisissez des légumes et des fruits fermes et frais.
2. Suivez les instructions données dans ce livre pour faire la saumure (voir page 239).

3. Employez le gros sel ou le sel iodé, ces sels ne troublent pas la saumure.
4. Utilisez du vinaigre de bonne qualité. Si le vinaigre est trop faible, les marinades seront molles et ne se conserveront pas.
5. Achetez des épices tous les ans, parce que la saveur a tendance à s'émousser si vous les gardez trop longtemps en réserve.
6. Les épices à marinade, les clous de girofle, les grains de poivre, de moutarde et de céleri doivent être enfermés dans un coton à fromage.
7. Evitez de vous servir de casseroles autres que celles de fonte émaillée ou d'acier inoxydable parce que le vinaigre et le sel attaquent certaines cocottes fabriquées avec d'autre métaux.
8. Utilisez autant que possible de l'eau douce, non calcaire, pour faire les marinades.
9. Brassez les marinades avec une cuillère de bois; le bois n'est pas attaqué par le vinaigre et le sel, il est aussi mauvais conducteur de la chaleur.
10. Laissez un espace libre de 1/4 de pouce [1/2 *centimètre*] au haut du bocal afin d'empêcher le liquide de couler lorsqu'on ajoute la paraffine.
11. Fermez les contenants. Etiquetez. Enveloppez. Gardez dans un endroit frais, sec et à l'abri de la lumière.

ACHARS (relish)

INGRÉDIENTS:

- **3 tasses** [450 grammes] **de concombres pelés hachés**
- **3 tasses** [450 grammes] **de tomates rouges coupées en morceaux**
- **4 tasses** [600 grammes] **de grains de maïs sur épis**
- **6 branches de céleri coupé fin**
- **1 tasse** [125 grammes] **de piment vert haché**
- **1 tasse** [125 grammes] **de piment rouge doux haché**
- **2 c. à table** [2 c. à soupe] **de gros sel**
- **1½ c. à table** [1½ c. à soupe] **de moutarde en poudre**
- **2 c. à thé** [2 c. à café] **de curcuma (épice spéciale pour relish)**
- **3½ tasses** [⅞ de litre] **de vinaigre blanc**
- **2 tasses** [400 grammes] **de cassonade**

PRÉPARATION:

1. Déposez tous les ingrédients hachés dans une casserole en fonte émaillée.
2. Faites bouillir à petit feu, à découvert, jusqu'à ce que la préparation épaississe, ce qui demande environ 1 heure. Brassez de temps à autre.
3. Versez dans des bocaux chauds stérilisés.
4. Laissez refroidir.
5. Paraffinez.
6. Fermez hermétiquement.

ACHARS SUCRÉS (relish)

INGRÉDIENTS:

12 tomates vertes
8 gros oignons blancs
3 piments verts
5 tasses [1 litre ¼] **de vinaigre blanc**
4 tasses [900 grammes] **de sucre**
¼ tasse [1/16 de litre] **d'épices à marinade**
2 c. à thé [2 c. à café] **de sel**
½ c. à thé [½ c. à café] **de poivre**

PRÉPARATION:

1. Pelez les oignons. Passez-les au hachoir, ainsi que les tomates et les piments.
3. Déposez dans une casserole en fonte émaillée.
4. Ajoutez le vinaigre, le sel, le poivre et les épices à marinade enveloppées dans du coton à fromage.
5. Faites bouillir 45 minutes.
6. Ajoutez le sucre.
7. Continuez la cuisson en brassant presque continuellement jusqu'à consistance épaisse.
8. Enlevez les épices.
9. Mettez dans des bocaux stérilisés.
10. Paraffinez.
11. Fermez.

BETTERAVES AU VINAIGRE ÉPICÉ

INGRÉDIENTS:

15 betteraves
eau bouillante
vinaigre blanc
1 c. à thé [1 c. à café] **de thym**
1 feuille de laurier
8 clous de girofle
8 grains de poivre

PRÉPARATION:

1. Lavez les betteraves.
2. Faites cuire parfaitement à l'eau bouillante.
3. Pelez.
4. Tranchez. Mettez dans un bol.
5. Versez dessus le vinaigre chauffé au préalable avec les épices et les assaisonnements.
6. Laissez reposer toute une nuit.
7. Coulez et remettez le vinaigre à bouillir.
8. Versez sur les betteraves déposées dans des bocaux de verre stérilisés.
9. Fermez hermétiquement.

CATSUP AUX TOMATES COULÉES

INGRÉDIENTS:

- **2 pintes** [1 kg 200] **de tomates mûres**
- **2 oignons moyens**
- **2 piments verts**
- **2½ tasses** [⅝ de litre] **de vinaigre blanc**
- **1 tasse** [200 grammes] **de sucre**
- **1 c. à thé** [1 c. à café] **de cannelle**
- **½ c. à thé** [½ c. à café] **de graines de moutarde**
- **1 c. à table** [1 c. à soupe] **d'épices à marinade**

PRÉPARATION:

1. Passez tous les légumes au hache-viande.
2. Ajoutez le vinaigre.
3. Faites cuire jusqu'au point d'ébullition.
4. Ajoutez le sucre, la cannelle, les graines de moutarde et les épices à marinade.
5. Faites mijoter jusqu'à consistance d'une sauce épaisse.
6. Coulez, puis passez au «blender».
7. Versez dans des pots ou bouteilles stérilisés.
8. Fermez hermétiquement.

CATSUP AUX TOMATES ET AUX FRUITS

INGRÉDIENTS:

36 tomates mûres
12 pommes
10 pêches
10 poires
4 gros oignons
1 pied de céleri
1 c. à table [1 c. à soupe] **de gros sel**
¼ de tasse [1/16 de litre] **d'épices à marinade**
1 pinte [½ litre] **de vinaigre blanc**
3 tasses [600 grammes] **de sucre**

PRÉPARATION:

1. Blanchissez les tomates et les pêches.
2. Passez à l'eau froide.
3. Coupez en morceaux.
4. Pelez les pommes et les poires.
5. Taillez en cubes.
6. Ajoutez les oignons tranchés minces et le céleri coupé en dés.
7. Déposez le tout dans une casserole en fonte émaillée.
8. Ajoutez le vinaigre, le sel et les épices à marinade (enveloppées dans du coton à fromage).
9. Faites bouillir 1 heure.
10. Ajoutez le sucre.
11. Continuez la cuisson en brassant presque continuellement jusqu'à une bonne consistance.
12. Enlevez les épices.
13. Mettez dans les bocaux de verre stérilisés.
14. Paraffinez.
15. Fermez hermétiquement.

CATSUP AUX TOMATES MÛRES

INGRÉDIENTS:

24 tomates mûres
6 pommes
6 gros oignons
1 gros pied de céleri
¼ tasse [1/16 de litre] **d'épices à marinade (enveloppées dans du coton à fromage)**
2 c. à thé [2 c. à café] **de sel**
½ c. à thé [½ c. à café] **de clou moulu**
½ c. à thé [½ c. à café] **de gingembre moulu**
2 tasses [½ litre] **de vinaigre blanc**
2 tasses [400 grammes] **de sucre**

PRÉPARATION:

1. Blanchissez les tomates.
2. Passez à l'eau froide, pelez, coupez en morceaux.
3. Pelez les pommes.
4. Taillez en cubes.
5. Ajoutez les oignons tranchés minces et le céleri coupé en dés.
6. Déposez le tout dans une casserole en fonte émaillée.
7. Ajoutez les épices à marinade (enveloppées dans coton à fromage), le sel, le clou, le gingembre et le vinaigre.
8. Faites bouillir 1 heure.
9. Ajoutez le sucre.
10. Continuez la cuisson en brassant presque continuellement jusqu'à consistance épaisse.
11. Enlevez les épices.
12. Mettez dans des bocaux de verre stérilisés. Paraffinez.
13. Fermez hermétiquement.

CATSUP AUX TOMATES MÛRES ET AUX PIMENTS

INGRÉDIENTS:

24 tomates mûres
1 pied de céleri
10 pommes
4 gros oignons blancs
2 piments verts
1 piment rouge doux
2 c. à table [2 c. à soupe] **de gros sel**
1 pinte [1 litre] **de vinaigre blanc**
24 clous de girofle
2 tasses [400 grammes] **de sucre**

PRÉPARATION:

1. Blanchissez les tomates 2 minutes.
2. Passez à l'eau froide, pelez et coupez-les en morceaux.
3. Pelez les pommes.
4. Taillez en cubes.
5. Ajoutez les oignons tranchés minces, le céleri et les piments coupés en dés.
6. Faites cuire le tout dans une casserole en fonte émaillée avec le sel, le vinaigre, les clous de girofle (enveloppés dans un coton à fromage) et le sucre, jusqu'à ce que le catsup devienne épais.
7. Enlevez les clous de girofle.
8. Déposez dans des pots stérilisés.
9. Paraffinez.
10. Fermez hermétiquement.

CATSUP AUX TOMATES VERTES

INGRÉDIENTS:

24 tomates vertes
6 pommes sures
6 oignons blancs
2 pieds de céleri
1 gros chou-fleur
1 pinte [1 litre] **de vinaigre de vin**
2 tasses [400 grammes] **de cassonade**
¼ de tasse [28 grammes] **de gros sel**
2 c. à table [2 c. à soupe] **d'épices à marinade**

PRÉPARATION:

1. Lavez tous les légumes.
2. Pelez les pommes.
3. Enlevez les fleurettes du chou-fleur.
4. Hachez le tout finement.
5. Ajoutez le vinaigre, la cassonnade, le sel, les épices (enveloppées dans du coton à fromage).
6. Faites bouillir à découvert environ 90 minutes.
7. Versez dans des pots stérilisés.
8. Paraffinez.
9. Fermez hermétiquement.

CATSUP AUX TOMATES VERTES ENTIÈRES

INGRÉDIENTS:

24 petites tomates vertes entières
2 pintes [2 litres] **d'eau**
2 c. à table [2 c. à soupe] **de gros sel**
12 clous de girofle
1 tasse [¼ de litre] **de vinaigre blanc**
1 tasse [¼ de litre] **de vinaigre de cidre**
2 tasses [400 grammes] **de cassonade**
¼ de tasse [1/16 de litre] **d'épices à marinade**

PRÉPARATION:

1. Chauffez l'eau avec le sel jusqu'au point d'ébullition.
2. Ajoutez les tomates vertes lavées au préalable.
3. Faites cuire 10 minutes.
4. Enlevez la pelure.
5. Egouttez.
6. Faites bouillir le vinaigre avec la cassonade, les clous de girofle et les épices à marinades enve-épices à marinade (enveloppées dans un coton à fromage).
7. Ajoutez les tomates.
8. Continuez la cuisson à feu doux environ 45 minutes. Enlevez les épices.
10. Déposez dans des bocaux stérilisés.
11. Paraffinez.
12. Fermez hermétiquement.

CATSUP DÉLICIEUX

INGRÉDIENTS:

20 tomates mûres
6 pommes
4 poires
1 gros pied de céleri
2 tasses [250 grammes] **d'oignons blancs**
2 tasses [400 grammes] **de sucre**
2 c. à table [2 c. à soupe] **de gros sel**
1 pinte [1 litre] **de vinaigre blanc**
¼ tasse [1/16 de litre] **d'épices à marinade**

PRÉPARATION:

1. Blanchissez les tomates à l'eau bouillante, passez-les à l'eau froide.
2. Pelez.
3. Coupez en morceaux.
4. Pelez les pommes et les poires; coupez-les également en morceaux, de même que le céleri et les oignons.
5. Faites cuire dans une marmite en fonte émaillée avec le sel, le vinaigre, et les épices enveloppées dans un coton à fromage, pendant 1 heure.
6. Ajoutez le sucre.
7. Continuez la cuisson, en brassant continuellement jusqu'à ce que la marinade devienne épaisse.
8. Déposez dans des bocaux de verre stérilisés.
9. Paraffinez.
10. Fermez hermétiquement.

CHOW-CHOW AUX TOMATES VERTES (mélange)

INGRÉDIENTS:

24 grosses tomates vertes
1/4 de tasse [75 grammes] **de gros sel**
2 piments verts
2 piments rouges doux
3 oignons
1/2 chou moyen
6 tasses [1 litre 1/2] **de vinaigre blanc**
2 tasses [400 grammes] **de sucre**
2 c. à table [2 c. à soupe] **de graines de céleri**
1 c. à table [1 c. à soupe] **de graines de moutarde**
12 clous de girofle

PRÉPARATION:

1. Lavez les tomates.
2. Passez-les au hachoir.
3. Couvrez-les de gros sel et laissez reposer 1 heure.
4. Mettez dans un sac à gelée.
5. Faites égoutter 12 heures.
6. Déposez les tomates égouttées dans une casserole en fonte émaillée.
7. Ajoutez les piments, les oignons et le demi-chou préalablement passés au hache-viande.
8. Ajoutez le vinaigre, le sucre et les épices (enveloppées dans du coton à fromage).
9. Faites cuire à découvert, en brassant souvent jusqu'à ce que les légumes soient tendres, ce qui demande environ 45 minutes.
10. Versez dans des bocaux chauds stérilisés.
11. Paraffinez.
12. Fermez hermétiquement.

CHUTNEY À LA RHUBARBE

INGRÉDIENTS:

12 tasses [2 kg] **de rhubarbe**
1 tasse [125 grammes] **d'oignon émincé**
2 tasses [½ litre] **de vinaigre de cidre**
2 tasses [400 grammes] **de sucre**
1 c. à thé [1 c. à café] **de gingembre moulu**
2 c. à thé [2 c. à café] **de cannelle**
2 c. à thé [2 c. à café] **de sel**
½ c. à thé [½ c. à café] **de clou moulu**
¼ c. à thé [¼ c. à café] **de poivre de Cayenne**
1 c. à table [1 c. à soupe] **d'épices à marinade moulues**

PRÉPARATION:

1. Lavez la rhubarbe.
2. Coupez-la en dés.
3. Ajoutez les oignons émincés et le vinaigre.
4. Faites cuire à découvert dans une casserole en fonte émaillée pendant 15 minutes.
5. Ajoutez le reste des ingrédients.
6. Faites bouillir jusqu'à ce que le chutney ait la consistance de marmelade, environ 45 minutes.
7. Versez dans des bocaux stérilisés.
8. Laissez refroidir.
9. Paraffinez.
10. Fermez hermétiquement.

CHUTNEY AUX POMMES ET AUX PÊCHES

INGRÉDIENTS:

8 tasses [1 kilo] **de pommes**
10 tasses [1 kg 250] **de pêches**
4 tasses [500 grammes] **de raisins frais, sans noyau**
6 tasses [1 kg 200] **de cassonade pâle**
4 c. à thé [4 c. à café] **de cannelle**
2 c. à thé [2 c. à café] **de clou moulu**
1 c. à table [1 c. à soupe] **de gros sel**
¼ c. à thé [¼ c. à café] **de poivre**
3 tasses [¾ de litre] **de vinaigre de vin**

PRÉPARATION:

1. Pelez les pommes et les pêches.
2. Coupez-les en petits morceaux.
3. Ajoutez les raisins frais coupés en 4, puis le vinaigre, la cassonade, les épices moulues, le sel et le poivre.
4. Déposez dans une casserole en acier inoxydable tous les ingrédients.
5. Faites bouillir lentement en brassant souvent jusqu'à épaississement, ce qui demande environ 1 heure.
6. Versez dans des pots chauds stérilisés.
7. Laissez refroidir.
8. Paraffinez.
9. Fermez hermétiquement.

Cette marinade est excellente avec les viandes froides.

CHUTNEY AU MELON

INGRÉDIENTS:

1 gros melon mûr
3 piments verts
1 piment rouge doux
2 tasses [400 grammes] **de cassonade**
1 pinte [1 litre] **de vinaigre de cidre**
1 c. à table [1 c. à soupe] **d'épices à marinade**
1 c. à thé [1 c. à café] **de poivre de Cayenne**
2 c. à table [2 c. à soupe] **de gros sel**
2 gousses d'ail
1 tasse [125 grammes] **de raisins secs, sans noyau**
4 onces [125 grammes] **de gingembre confit, coupé en dés**

PRÉPARATION:

1. Pelez le melon.
2. Enlevez les graines et les membranes.
3. Coupez en cubes.
4. Lavez les piments, nettoyez et émincez-les.
5. Déposez dans une casserole en fonte émaillée avec la cassonade, le vinaigre, le poivre de Cayenne, le sel, les raisins secs, le gingembre confit, les épices à marinade et les gousses d'ail enveloppées dans du coton à fromage.
6. Laissez mijoter le tout à découvert environ 90 minutes ou jusqu'à ce que le chutney devienne épais.
7. Enlevez les épices à marinade et les gousses d'ail.
8. Déposez dans des bocaux chauds stérilisés.
9. Laissez refroidir.
10. Paraffinez.
11. Fermez hermétiquement.

CHUTNEY AUX PRUNES BLANCHES ET AUX POMMES

INGRÉDIENTS:

- **4 lb** [2 kg] **de prunes blanches dénoyautées**
- **3 lb** [1 kg 500] **de pommes à cuire râpées**
- **1½ lb** [750 grammes] **d'oignons blancs coupés en rondelles**
- **2 tasses** [½ litre] **de vinaigre de cidre**
- **2 lb** [1 kilo] **de sucre**
- **1 lb** [500 grammes] **de cassonade**
- **2 c. à thé** [2 c. à café] **de clou moulu**
- **2 c. à thé** [2 c. à café] **de gingembre moulu**
- **1 c. à table** [1 c. à soupe] **de quatre-épices moulues**
- **2 c. à table** [2 c. à soupe] **de gros sel**

PRÉPARATION:

1. Lavez les prunes.
2. Coupez-les.
3. Enlevez les noyaux.
4. Pelez les pommes et râpez-les.
5. Tranchez les oignons.
6. Déposez ces ingrédients avec le vinaigre dans une casserole émaillée.
7. Portez à ébullition en brassant constamment avec une cuillère de bois.
8. Ajoutez tous les autres ingrédients.
9. Laissez mijoter à découvert environ 90 minutes ou jusqu'à ce que le chutney devienne épais.
10. Déposez dans des bocaux en verre stérilisés.
11. Laissez refroidir.
12. Paraffinez.
13. Fermez hermétiquement.

CORNICHONS AU FENOUIL (dill-pickle)

INGRÉDIENTS:

4 pintes [3 kg] **de petits cornichons de**
2 à 4 pouces [de 5 à 10 centimètres] **de longueur**
eau froide pour couvrir
fenouil (dill)
2 tasses [½ litre] **de vinaigre blanc**
6 tasses [1 litre ½] **d'eau**
½ tasse [60 grammes] **de gros sel**
¼ tasse [1/16 litre] **de graines de moutarde**

PRÉPARATION:

1. Lavez.
2. Brossez.
3. Faites tremper dans l'eau froide, pendant une nuit, des petits concombres fraîchement cueillis.
4. Egouttez.
5. Déposez de petites branches de fenouil (dill) dans des bocaux de verre.
6. Tassez les petits concombres.
7. Mettez du fenouil sur le dessus.
8. Recouvrez du mélange suivant:
9. Portez à ébullition le vinaigre, le sel et les graines de moutarde.
10. Laissez bouillir 10 minutes.
11. Refroidissez avant de remplir les pots.
12. Fermez hermétiquement.

Laissez reposer au frais au moins 4 semaines avant de servir.

CORNICHONS SALÉS

INGRÉDIENTS:

- **3 pintes** [2 kg] **de petits concombres de**
- **2 à 3 pouces** [5 à 7 centimètres] **de longueur**
- **¾ tasse** [225 grammes] **de gros sel**
- **3 pintes** [3,5 litres] **d'eau chaude**
- **1½ tasse** [200 grammes] **de gros sel**

PRÉPARATION:

1. Lavez les cornichons (petits concombres) avec une brosse.
2. Mettez dans un pot en grès en alternant cornichons et sel.
3. Recouvrez avec la saumure préparée avec le sel dissous dans de l'eau chaude, puis refroidi.
4. Couvrez avec une planche de bois qui emboîte bien le pot.
5. Placez un poids sur la planche pour permettre aux petits concombres de rester submergés.

Pour servir, faites tremper dans de l'eau froide en renouvelant l'eau plusieurs fois. Déposez dans des bocaux de verre. Couvrez de vinaigre blanc.

CORNICHONS SUCRÉS

INGRÉDIENTS:

- **2 pintes** [1 kg 500] **de petits concombres**
- **2 pintes** [2 litres] **d'eau bouillante**
- **½ tasse** [150 grammes] **de gros sel**
- **4 tasses** [1 litre] **de vinaigre de cidre**
- **4 tasses** [800 grammes] **de cassonade**
- **2 c. à table** [2 c. à soupe] **de clous de girofle**
- **1 c. à table** [1 c. à soupe] **de graines de moutarde**
- **1 c. à thé** [1 c. à café] **de graines de céleri**
- **2 feuilles de laurier**

PRÉPARATION:

1. Lavez, brossez, rincez, égouttez et mesurez les petits concombres dans un bol.
2. Recouvrez de la saumure chaude préparée avec l'eau le sel.
3. Laissez reposer 8 heures.
4. Egouttez.
5. Rincez dans plusieurs eaux.
6. Tassez les petits concombres dans des pots de verre.
6. Recouvrez du mélange suivant:
7. Faites bouillir 10 minutes le vinaigre, la cassonade et les épices enveloppées dans un coton à fromage.
8. Remplissez les récipients de ce liquide bouillant.
9. Laissez refroidir.
10. Fermez hermétiquement.

HERBES SALÉES

INGRÉDIENTS:

1 tasse [1/4 de litre] **de ciboulette**
1 tasse [1/4 de litre] **de persil**
1 tasse [1/4 de litre] **de poireaux**
1 tasse [1/4 de litre] **de tiges d'échalote (ciboule)**
2 tasses [1/2 litre] **de feuilles de céleri**
1 tasse [1/4 de litre] **de sarriette**
1/4 de tasse [1/16 de litre] **de sauge**
2 tasses [600 grammes] **de gros sel**

PRÉPARATION:

1. Prenez des herbes fraîchement cueillies.
2. Lavez et hachez-les finement.
4. Epongez.
6. Déposez-les dans une jarre de grès ou dans un grand pot de verre, en alternant avec le sel.
6. Fermez hermétiquement.
7. Gardez au frais.

Faites tremper les herbes dans de l'eau froide avant d'aromatiser les soupes, les pommes de terre en purée, les farces et les rôtis de porc.

MARINADE AUX PIMENTS ROUGES

INGRÉDIENTS:

12 gros piments rouges
2 tasses [½ litre] **d'eau froide**
3 tasses [¾ de litre] **de vinaigre blanc**
2 citrons coupés en 4
3 tasses [600 grammes] **de sucre**

PRÉPARATION:

1. Lavez les piments.
2. Enlevez les semences et les membranes.
3. Passez-les au hache-viande.
4. Ajoutez l'eau froide.
5. Portez au point d'ébullition.
6. Egouttez.
7. Ajoutez le vinaigre et les citrons.
8. Faites cuire 30 minutes à feu lent.
9. Enlevez les morceaux de citron.
10. Ajoutez le sucre.
11. Faites bouillir environ 45 minutes, ou jusqu'à ce que le mélange devienne assez consistant.
12. Déposez dans des bocaux stérilisés.
13. Paraffinez.
14. Fermez hermétiquement.

MARINADE AUX PIMENTS ROUGES ET VERTS

INGRÉDIENTS:

- **9 gros piments rouges**
- **9 gros piments verts**
- **6 gros oignons blancs**
- **$\frac{1}{3}$ de tasse** [100 grammes] **de gros sel**
- **5 tasses** [1 litre $\frac{1}{4}$] **de vinaigre de cidre**
- **3 tasses** [600 grammes] **de sucre**

PRÉPARATION:

1. Coupez une tranche sur les piments, enlevez les semences.
2. Tranchez minces les piments et les oignons.
3. Ajoutez le sel.
4. Laissez reposer 1 heure.
5. Egouttez parfaitement.
6. Mettez dans une casserole en fonte émaillée.
7. Ajoutez le vinaigre et le sucre. Faites mijoter pendant 1 heure.
8. Versez dans des pots stérilisés.
9. Paraffinez.
10. Fermez hermétiquement.

MARINADE AUX CONCOMBRES MÛRS

INGRÉDIENTS:

3 pintes [2 kg] **de concombres mûrs**
3 gros oignons blancs
½ tasse [150 grammes] **de gros sel**
2 piments verts
1 piment rouge doux
cubes de glace
3 tasses [¾ de litre] **de vinaigre blanc**
3 tasses [600 grammes] **de sucre**
1 c. à thé [1 c. à café] **de curcuma (turmeric)**
1 c. à table [1 c. à soupe] **de graines de moutarde**
1½ c. à thé [1½ c. à café] **de graines de céleri**

PRÉPARATION:

1. Pelez les concombres.
2. Enlevez les graines.
3. Coupez en petits cubes.
4. Coupez les oignons et les piments finement.
5. Déposez les légumes dans un plat.
6. Saupoudrez de sel.
7. Couvrez de cubes de glace.
8. Laissez reposer 4 heures.
9. Egouttez parfaitement.
10. Mettez dans une casserole en fonte émaillée.
11. Ajoutez le vinaigre, le sucre, le curcuma, les graines de moutarde et de céleri (enveloppées dans du coton à fromage).
12. Faites bouillir à petit feu, à découvert, en brassant souvent jusqu'à ce que la préparation épaississe, ce qui demande environ 1 heure.
13. Versez dans des bocaux chauds stérilisés.
14. Fermez hermétiquement.

MOUTARDE "MAISON"

INGRÉDIENTS:

$\frac{1}{2}$ **tasse** [$\frac{1}{8}$ de litre] **de moutarde sèche**
crème à 15%

PRÉPARATION:

1. Mettez la moutarde sèche dans un petit bol.
2. Délayez avec de la crème à 15%.
3. Versez dans des verres à moutarde.
4. Servez avec du jambon.

MOUTARDE DOUCE

INGRÉDIENTS:

1 tasse [$\frac{1}{4}$ de litre] **de moutarde sèche**
2 c. à thé [2 c. à café] **de sel**
2 c. à table [2 c. à soupe] **de sucre à glacer**
$\frac{1}{4}$ **c. à thé** [$\frac{1}{4}$ c. à café] **de poivre**
vinaigre de vin

PRÉPARATION:

1. Déposez la moutarde sèche dans un bol.
2. Ajoutez le sel, le sucre et le poivre.
3. Délayez avec suffisamment de vinaigre de vin pour obtenir la consistance de la moutarde commerciale.

OEUFS DANS LE VINAIGRE

INGRÉDIENTS:

24 oeufs cuits durs
1 c. à thé [1 c. à café] **de graines de céleri**
2 c. à thé [c. à café] **de grains de poivre**
1 feuille de laurier
6 tasses [1 litre½] **de vinaigre blanc**
3 tasses [¾ de litre] **d'eau**
1 c. à table [1 c. à soupe] **de sel**
2 c. à thé [2 c. à café] **de clous de girofle entiers**

PRÉPARATION:

1. Mettez les oeufs dans de l'eau froide.
2. Portez à ébullition.
3. Couvrez.
4. Enlevez du feu. Laissez les oeufs 35 minutes dans cette eau sans enlever le couvercle (les oeufs cuits durs de cette façon se digèrent facilement).
5. Refroidissez.
6. Ecaillez.
7. Mettez dans un grand bocal de verre.
8. Recouvrez avec du vinaigre aromatisé préparé comme suit:
9. Chauffez le vinaigre, l'eau et le sel.
10. Ajoutez les épices enveloppées dans un coton à fromage.
11. Laissez mijoter 15 minutes.
12. Refroidissez.
13. Enlevez les épices et versez le vinaigre sur les oeufs.

OIGNONS MARINÉS

INGRÉDIENTS:

- **1 pinte** [600 grammes] **de petits oignons blancs (silver skin)**
- **4 tasses** [1 litre] **d'eau bouillante**
- **1/3 de tasse** [6 c. à soupe] **de gros sel**
- **2 tasses** [1/2 litre] **de vinaigre blanc**
- **3/4 tasse** [150 grammes] **de sucre**
- **1 bâton de cannelle**

PRÉPARATION:

1. Ebouillantez les oignons 1 minute.
2. Egouttez et couvrez-les d'eau froide.
3. Pelez-les sous l'eau, puis mettez-les dans de l'eau contenant des cubes de glace (ceci empêche la décoloration et les raffermit).
4. Coulez.
5. Recouvrez les petits oignons d'une saumure préparée avec l'eau bouillante et le sel.
6. Faites refroidir avant d'ajouter les oignons.
7. Laissez reposer 12 heures.
8. Rincez.
9. Faites bouillir le vinaigre, le sucre et le bâton de cannelle.
10. Ajoutez les oignons.
11. Faites bouillir 1 minute.
12. Déposez les oignons dans les bocaux de verre.
13. Recouvrez du mélange bouillant.
14. Fermez hermétiquement.

PICCALILLI

INGRÉDIENTS:

30 tomates vertes
½ tasse [150 grammes] **de gros sel**
5 oignons moyens émincés
5 piments verts
1 pinte [1 litre] **de vinaigre blanc**
2 tasses [400 grammes] **de sucre**
5 c. à table [5 c. à soupe] **d'épices à marinade**

PRÉPARATION:

1. Lavez les tomates.
2. Tranchez-les.
3. Saupoudrez de sel.
4. Laissez reposer une nuit.
5. Egouttez.
6. Déposez dans une marmite en fonte émaillée.
7. Couvrez de vinaigre.
8. Ajoutez les oignons, les piments épépinés coupés en tranches minces, le sucre, les épices à marinade (enveloppées dans du coton à fromage).
9. Laissez mijoter environ 90 minutes en brassant souvent.
10. Retirez les épices.
11. Déposez dans des pots stérilisés.
12. Paraffinez.

POMMETTES AUX ÉPICES

INGRÉDIENTS:

4 pintes [2 kg] **de pommettes**
3 tasses [¾ de litre] **de vinaigre blanc**
5 tasses [1 kilo 250] **de sucre**
4 bâtons de cannelle
clous de girofle

PRÉPARATION:

1. Lavez les pommettes sans enlever les queues.
2. Enlevez la mouche (fleur séchée), remplacez-la par 1 clou de girofle.
3. Faites bouillir le vinaigre, le sucre et les bâtons de cannelle pendant 5 minutes.
4. Faites cuire les pommettes par petites quantités à la fois, dans ce sirop épicé jusqu'à ce qu'elles soient tendres, ce qui demande environ 15 minutes.
5. Déposez les pommettes dans des pots stérilisés.
6. Remplissez de sirop épicé.
7. Fermez hermétiquement.

Ces pommettes sont délicieuses servies avec des viandes froides.

SAUCE CHILI AUX 4 FRUITS

INGRÉDIENTS:

- **5 lb** [2 kg 500] **de tomates mûres**
- **1 tasse** [125 grammes] **de pêches fraîches**
- **1 tasse** [125 grammes] **de poires fraîches**
- **2 tasses** [250 grammes] **de pommes**
- **4 oignons**
- **2 piments rouges doux**
- **1 tasse** [125 grammes] **de raisins blancs frais, sans pépins**
- **2 tasses** [½ litre] **de vinaigre de cidre**
- **1½ tasse** [300 grammes] **de sucre**
- **2 c. à table** [2 c. à soupe] **de gros sel**
- **⅓ tasse** [5 c. à soupe] **d'épices à marinade**

PRÉPARATION:

1. Blanchissez les tomates et les pêches 2 minutes.
2. Passez à l'eau froide.
3. Pelez-les.
4. Coupez en morceaux.
5. Pelez les pommes et les poires. Taillez en dés.
6. Ajoutez les oignons et les piments coupés en cubes et les raisins divisés en 4.
7. Ajoutez le vinaigre, le sucre, le sel et les épices (enveloppées dans un coton à fromage).
8. Amenez à ébullition.
9. Faites cuire jusqu'à épaississement, environ 60 minutes. Enlevez les épices.
10. Versez dans des pots chauds stérilisés.
11. Laissez refroidir.
12. Fermez hermétiquement.

MOUTARDE FORTE

INGRÉDIENTS:

- **1 tasse** [1/4 de litre] **de moutarde sèche**
- **2 c. à table** [2 c. à soupe] **de sucre à glacer**
- **2 c. à thé** [2 c. à café] **de sel**
- **1/4 c. à thé** [1/4 c. à café] **de poivre**
- **1/3 de tasse** [6 c. à soupe] **d'huile végétale**
- **1/4 de tasse** [4 c. à soupe] **de raifort râpé**
- **vinaigre de cidre**

PRÉPARATION:

1. Délayez la moutarde avec le vinaigre.
2. Ajoutez le sucre, le sel, le poivre et l'huile à salade en battant.
3. Incorporez le raifort râpé égoutté.
4. Versez dans des verres à moutarde.

Glossaire

ABATTIS

Pattes, cou, ailes, foie, gésier d'une volaille. Les abattis peuvent être apprêtés en ragoût, ou servir pour un bouillon destiné à corser la sauce d'une volaille.

BOUILLIR

Un liquide qui bout est un liquide chauffé qui forme à sa surface des bulles d'où s'échappe la vapeur. L'ébullition s'obtient plus rapidement si vous mettez un couvercle sur le récipient.

BARDES

Tranches de lard gras très minces dont on recouvre les viandes avant de les faire rôtir et dont on garnit aussi le fond des casseroles.

BARDER

Envelopper d'une mince tranche de lard frais, une pièce de viande pour la nourrir de gras et l'empêcher de sécher dans la cuisson.

BLANCHIR

Passer les légumes et les viandes dans l'eau bouillante pour en enlever l'âcreté ou pour les nettoyer.

BOUQUET GARNI

Herbes potagères qui servent à aromatiser le bouillon et les sauces. Il se compose d'une branche de persil, d'une de thym et d'une de feuille de laurier.

CARAMEL

Sucre fondu sur un feu vif; le laisser colorer peu à peu. Lorsqu'il est d'un rouge ambré, ajouter un peu d'eau et le remettre sur le feu; après quelques minutes d'ébullition, on obtiendra un beau caramel. On s'en sert pour colorer le consommé, les ragoûts et les sauces.

CLARIFIER

Opération qui consiste à rendre clair un bouillon. Les blancs d'oeufs sont employés à cet effet. (Méthode de clarification page 45 .)

COUPERET

Sorte de lourde lame courte et tranchante à manche solide qui permet à la fois de désosser, trancher et découper. Il sert également pour aplatir les viandes.

CRÉMER

Défaire en crème, donner la consistance de la crème.

DÉGORGER

Mettre les viandes dans de l'eau froide additionnée de sel ou de vinaigre pour en faire sortir le sang et empêcher qu'elles noircissent.

DÉGRAISSER

Enlever la graisse du bouillon, des sauces ou des ragoûts.

DÉLAYER

Mélanger une substance compacte avec du liquide, la farine par exemple. Il faut toujours verser du liquide froid et petit à petit, en remuant, afin de ne pas faire de grumeaux.

DÉSOSSER

Oter les os des viandes ou les arêtes des poissons.

ÉCAILLER

Enlever ou ouvrir les écailles.

ÉCUMER

Enlever, à l'aide d'une cuillère, la mousse qui se forme sur les liquides soumis à l'ébullition.

ÉGOUTTER

Action de retirer de l'eau des légumes ou des viandes cuits ou blanchis en les déposant sur des tamis ou des plaques à égouter.

ÉPICE

Substance végétale aromatique servant à condimenter les mets. Les épices se trouvent en grand nombre et ont subi maints mélanges: épices au sel, quatre-épices; girofle, muscade, poivre et cannelle; épices de charcutier pour pâtés froids.

ENFARINER

Plonger dans la farine et enrober complètement.

FARCE
Chair de poisson, viande de boucherie, chair de gibier hachée ou pilée entrant dans la composition de maints apprêts culinaires: farces de poisson, à quenelle, à garnir, de pâté chaud ou froid, farces à saucisses diverses, farces à terrine, à galantine, etc.

FARCIR
Déposer de la farce à l'intérieur d'une volaille, d'un légume, ou d'une cavité creusée dans une pièce de viande.

FÉCULE
Poudre d'amidon pur obtenue par broyage et lavage de certains végétaux (pommes de terre, riz, froment, châtaignes, marrons, haricots, lentilles, pois, fèves, etc.). Ce mot pris isolément désigne la fécule de pommes de terre.

FINES HERBES
Plantes aromatiques telles que persil, céleri, cerfeuil, thym, sauge, marjolaine, laurier, ciboulette, estragon, fenouil, basilic, romarin.

GRATIN
Mets qui se termine par une action du feu qui croûte et roussit sa surface. Généralement obtenu par addition ou saupoudrage de fromage.

HACHER
Rendre très menu, à l'aide d'un hachoir ou d'un couteau, de la chair, des légumes ou toute autre denrée alimentaire.

JULIENNE
Nom donné à un mélange de légumes coupés en fines lanières.

LARDER
Couvrir une pièce de viande de petits morceaux de lard.

LIER
Rendre une sauce plus épaisse au moyen de jaunes d'oeuf, de fécule, de farine.

MARINADE
Liquide condimenté dans lequel on fait baigner certaines viandes pour leur donner un goût de venaison, ou pour les

conserver ou les attendrir. Les marinades se font cuites ou crues selon le temps et le volume des viandes qui y sont traitées.

MARINER

Laisser tremper la viande dans une préparation de sel, poivre, vinaigre ou huile, pour l'attendrir et lui donner plus de saveur.

MARMELADE

Purée de pulpe de fruits à laquelle on ajoute les trois quarts de son poids de sucre.

MIJOTER

Cuire lentement à petit feu.

NAPPER

Recouvrir un mets d'une sauce. Non pour le dissimuler, mais pour en enrober les formes qui restent dessinées sous cette couche.

PANNE

Graisse qui enveloppe les rognons et le filet de porc.

PASSER

Tamiser; filtrer; réduire les légumes en purée.

PAUPIETTE

Préparation consistant à tailler la chair par bandes, aplaties, ensuite assaisonnées, farcies, puis roulées, bordées, ficelées et cuites. Paupiettes de veau, de volaille, de faisan.

RÉDUCTION

Travail consistant à faire évaporer un fond, une sauce, afin de concentrer les sucs et lui donner plus de consistance.

REVENIR

Mettre l'aliment dans une casserole garnie de beurre très chaud ou d'huile, pour lui faire prendre couleur.

RÉDUIRE

Diminuer le volume d'une sauce, ou d'un jus, par la cuisson. Pour faire réduire, il faut enlever le couvercle.

ZESTE

Partie extérieure colorée et parfumée de l'écorce d'orange, de citron, etc.

Index

A

B

C

D

M

N

O

P

R

S

T

V

Ouvrages parus aux ÉDITIONS DE L'HOMME

* Pour l'Amérique du Nord seulement.
** Pour l'Europe seulement.

ALIMENTATION — SANTÉ

* **Allergies, Les,** Dr Pierre Delorme
* **Apprenez à connaître vos médicaments,** René Poitevin
* **Art de vivre en bonne santé, L',** Dr Wilfrid Leblond
* **Bien dormir,** Dr James C. Paupst
* **Bien manger à bon compte,** Jocelyne Gauvin
* **Boîte à lunch, La,** Louise Lambert-Lagacé
* **Cellulite, La,** Dr Gérard J. Léonard
Comment nourrir son enfant, Louise Lambert-Lagacé
Congélation des aliments, La, Suzanne Lapointe
* **Conseils de mon médecin de famille, Les,** Dr Maurice Lauzon
* **Contrôlez votre poids,** Dr Jean-Paul Ostiguy
* **Desserts diététiques,** Claude Poliquin
* **Diététique dans la vie quotidienne, La,** Louise Lambert-Lagacé
En attendant notre enfant, Yvette Pratte-Marchessault
* **Face-lifting par l'exercice, Le,** Senta Maria Rungé
* **Femme enceinte, La,** Dr Robert A. Bradley
* **Guérir sans risques,** Dr Émile Plisnier
* **Guide des premiers soins,** Dr Joël Hartley
Maigrir, un nouveau régime... de vie, Edwin Bayrd
* **Maman et son nouveau-né, La,** Trude Sekely
** **Mangez ce qui vous chante,** Dr Leonard Pearson et Dr Lillian Dangott
* **Médecine esthétique, La,** Dr Guylaine Lanctôt
Menu de santé, Louise Lambert-Lagacé
* **Pour bébé, le sein ou le biberon,** Yvette Pratte-Marchessault
* **Pour vous future maman,** Trude Sekely
* **Recettes pour aider à maigrir,** Dr Jean-Paul Ostiguy
Régimes pour maigrir, Marie-José Beaudoin
* **Soignez-vous par le vin,** Dr E.A. Maury
Sport — santé et nutrition, Dr Jean-Paul Ostiguy

ART CULINAIRE

* **Agneau, L',** Jehane Benoit
* **Art d'apprêter les restes, L',** Suzanne Lapointe
Art de la cuisine chinoise, L', Stella Chan
* **Bonne table, La,** Juliette Huot
* **Brasserie la mère Clavet vous présente ses recettes, La,** Léo Godon
* **Canapés et amuse-gueule**
* **Cocktails de Jacques Normand, Les,** Jacques Normand
* **Confitures, Les,** Misette Godard
Conserves, Les, Soeur Berthe
* **Cuisine aux herbes, La,**
* **Cuisine chinoise, La,** Lizette Gervais
* **Cuisine de maman Lapointe, La,** Suzanne Lapointe
* **Cuisine de Pol Martin, La,** Pol Martin

* **Cuisine des 4 saisons, La,** Hélène Durand-Laroche
* **Cuisine en plein air, La,** Hélène Doucet-Leduc
* **Cuisine facile aux micro-ondes,** Pauline St-Amour

Cuisine micro-ondes, La, Jehane Benoit
* **Cuisiner avec le robot gourmand,** Pol Martin
* **Du potager à la table,** Paul Pouliot et Pol Martin
* **En cuisinant de 5 à 6,** Juliette Huot
* **Fondue et barbecue**

Fondues et flambées de maman Lapointe, S. et L. Lapointe
* **Fruits, Les,** John Goode
* **Gastronomie au Québec, La,** Abel Benquet
* **Grande cuisine au Pernod, La,** Suzanne Lapointe
* **Grillades, Les**
* **Hors-d'oeuvre, salades et buffets froids,** Louis Dubois
* **Légumes, Les,** John Goode
* **Liqueurs et philtres d'amour,** Hélène Morasse
* **Ma cuisine maison,** Jehane Benoit
* **Madame reçoit,** Hélène Durand-Laroche
* **Omelettes, 101,** Marycette Claude
* **Pâtisserie, La,** Maurice-Marie Bellot
* **Petite et grande cuisine végétarienne,** Manon Bédard
* **Poissons et crustacés**
* **Poissons et fruits de mer,** Soeur Berthe

Poulet à toutes les sauces, Le, Monique Thyraud de Vosjoli
* **Recettes à la bière des grandes cuisines Molson, Les,** Marcel L. Beaulieu
* **Recettes au blender,** Juliette Huot
* **Recettes de gibier,** Suzanne Lapointe
* **Recettes de Juliette, Les,** Juliette Huot
* **Recettes de maman, Les,** Suzanne Lapointe
* **Sauces pour tous les plats,** Huguette Gaudette et Suzanne Colas

Techniques culinaires, Les, Soeur Berthe Sansregret
* **Vos vedettes et leurs recettes,** Gisèle Dufour et Gérard Poirier
* **Y'a du soleil dans votre assiette,** Francine Georget

DOCUMENTS — BIOGRAPHIES

* **Architecture traditionnelle au Québec, L',** Yves Laframboise
* **Art traditionnel au Québec, L',** M. Lessard et H. Marquis
* **Artisanat québécois 1,** Cyril Simard
* **Artisanat québécois 2,** Cyril Simard
* **Artisanat québécois 3,** Cyril Simard
* **Bien-pensants, Les,** Pierre Breton
* **Chanson québécoise, La,** Benoît L'Herbier
* **Charlebois, qui es-tu?** Benoit L'Herbier
* **Comité, Le,** M. et P. Thyraud de Vosjoli
* **Deux innocents en Chine rouge,** Jacques Hébert et Pierre E. Trudeau
* **Duplessis, tome 1: L'ascension,** Conrad Black
* **Duplessis, tome 2: Le pouvoir,** Conrad Black
* **Dynastie des Bronfman, La,** Peter C. Newman
* **Écoles de rang au Québec, Les,** Jacques Dorion
* **Égalité ou indépendance,** Daniel Johnson

Enfants du divorce, Les, Micheline Lachance
* **Envol — Départ pour le début du monde,** Daniel Kemp
* **Épaves du Saint-Laurent, Les,** Jean Lafrance

Ermite, L', T. Lobsang Rampa
* **Fabuleux Onassis, Le,** Christian Cafarakis
* **Filière canadienne, La,** Jean-Pierre Charbonneau
* **Frère André, Le,** Micheline Lachance
* **Grand livre des antiquités, Le,** K. Belle et J. et E. Smith
* **Homme et sa mission, Un,** Le Cardinal Léger en Afrique
* **Information voyage,** Robert Viau et Jean Daunais
* **Insolences du Frère Untel, Les,** Frère Untel
* **Lamia,** P.L. Thyraud de Vosjoli
* **Louis Riel,** Rosenstock, Adair et Moore
* **Maison traditionnelle au Québec, La,** Michel Lessard et Gilles Vilandré

* **Maîtresse, La,** W. James, S. Jane Kedgley
* **Mammifères de mon pays, Les,** St-Denys, Duchesnay et Dumais
* **Masques et visages du spiritualisme contemporain,** Julius Evola
* **Mon calvaire roumain,** Michel Solomon
* **Moulins à eau de la vallée du Saint-Laurent, Les,** F. Adam-Villeneuve et C. Felteau
* **Mozart raconté en 50 chefs-d'oeuvre,** Paul Roussel
* **Musique au Québec, La,** Willy Amtmann
* **Objets familiers de nos ancêtres, Les,** Vermette, Genêt, Décarie-Audet
* **Option, L',** J.-P. Charbonneau et G. Paquette
* **Option Québec,** René Lévesque
* **Oui,** René Lévesque

OVNI, Yurko Bondarchuck

* **Papillons du Québec, Les,** B. Prévost et C. Veilleux
* **Petite barbe. J'ai vécu 40 ans dans le Grand Nord, La,** André Steinmann
* **Patronage et patroneux,** Alfred Hardy

Pour entretenir la flamme, T. Lobsang Rampa

* **Prague l'été des tanks,** Desgraupes, Dumayet, Stanké
* **Premiers sur la lune,** Armstrong, Collins, Aldrin Jr
* **Provencher, le dernier des coureurs de bois,** Paul Provencher
* **Québec des libertés, Le,** Parti Libéral du Québec
* **Révolte contre le monde moderne,** Julius Evola
* **Struma, Le,** Michel Solomon
* **Temps des fêtes, Le,** Raymond Montpetit
* **Terrorisme québécois, Le,** Dr Gustave Morf

Treizième chandelle, La, T. Lobsang Rampa

* **Troisième voie, La,** Émile Colas
* **Trois vies de Pearson, Les,** J.-M. Poliquin, J.R. Beal
* **Trudeau, le paradoxe,** Anthony Westell
* **Vizzini,** Sal Vizzini
* **Vrai visage de Duplessis, Le,** Pierre Laporte

ENCYCLOPÉDIES

* **Encyclopédie de la chasse, L',** Bernard Leiffet
* **Encyclopédie de la maison québécoise,** M. Lessard, H. Marquis

Encyclopédie de la santé de l'enfant, L', Richard I. Feinbloom

* **Encyclopédie des antiquités du Québec,** M. Lessard, H. Marquis
* **Encyclopédie des oiseaux du Québec,** W. Earl Godfrey
* **Encyclopédie du jardinier horticulteur,** W.H. Perron
* **Encyclopédie du Québec, vol. I,** Louis Landry
* **Encyclopédie du Québec, vol. II,** Louis Landry

LANGUE *

Améliorez votre français, Jacques Laurin
Anglais par la méthode choc, L', Jean-Louis Morgan
Corrigeons nos anglicismes, Jacques Laurin
Notre français et ses pièges, Jacques Laurin
Petit dictionnaire du joual au français, Augustin Turenne
Verbes, Les, Jacques Laurin

LITTÉRATURE *

Adieu Québec, André Bruneau
Allocutaire, L', Gilbert Langlois
Arrivants, Les, Collaboration
Berger, Les, Marcel Cabay-Marin
Bigaouette, Raymond Lévesque
Bousille et les justes (Pièce en 4 actes), Gratien Gélinas
Cap sur l'enfer, Ian Slater

Carnivores, Les, François Moreau

Carré Saint-Louis, Jean-Jules Richard

Cent pas dans ma tête, Les, Pierre Dudan

Centre-ville, Jean-Jules Richard

Chez les termites, Madeleine Ouellette-Michalska

Commettants de Caridad, Les, Yves Thériault

Cul-de-sac, Yves Thériault

D'un mur à l'autre, Paul-André Bibeau

Danka, Marcel Godin

Débarque, La, Raymond Plante

Demi-civilisés, Les, Jean-C. Harvey

Dernier havre, Le, Yves Thériault

Domaine Cassaubon, Le, Gilbert Langlois

Doux mal, Le, Andrée Maillet

Emprise, L', Gaétan Brulotte

Engrenage, L', Claudine Numainville

En hommage aux araignées, Esther Rochon

Exodus U.K., Richard Rohmer

Exonération, Richard Rohmer

Faites de beaux rêves, Jacques Poulin

Fréquences interdites, Paul-André Bibeau

Fuite immobile, La, Gilles Archambault

J'parle tout seul quand Jean Narrache, Émile Coderre

Jeu des saisons, Le, M. Ouellette-Michalska

Joey et son 29e meutre, Joey

Joey tue, Joey

Joey, tueur à gages, Joey

Marche des grands cocus, La, Roger Fournier

Monde aime mieux..., Le, Clémence DesRochers

Monsieur Isaac, G. Racette et N. de Bellefeuille

Mourir en automne, Claude DeCotret

N'tsuk, Yves Thériault

Neuf jours de haine, Jean-Jules Richard

New Medea, Monique Bosco

Ossature, L', Robert Morency

Outaragasipi, L', Claude Jasmin

Petite fleur du Vietnam, La, Clément Gaumont

Pièges, Jean-Jules Richard

Porte silence, Paul-André Bibeau

Requiem pour un père, François Moreau

Séparation, Richard Rohmer

Si tu savais..., Georges Dor

Temps du carcajou, Les, Yves Thériault

Tête blanche, Maire-Claire Blais

Trou, Le, Sylvain Chapdelaine

Ultimatum, Richard Rohmer

Valérie, Yves Thériault

Visages de l'enfance, Les, Dominique Blondeau

Vogue, La, Pierre Jeancard

LIVRES PRATIQUES — LOISIRS

* **Abris fiscaux, Les,** Robert Pouliot et al.

* **Améliorons notre bridge,** Charles A. Durand

* **Animaux, Les — La p'tite ferme,** Jean-Claude Trait

* **Appareils électro-ménagers, Les**

Art du dressage de défense et d'attaque, L', Gilles Chartier

* **Bien nourrir son chat,** Christian d'Orangeville

* **Bien nourrir son chien,** Christian d'Orangeville

* **Bonnes idées de maman Lapointe, Les,** Lucette Lapointe

* **Bricolage, Le,** Jean-Marc Doré

Bridge, Le, Viviane Beaulieu

* **Budget, Le,** En collaboration

* **100 métiers et professions,** Guy Milot

* **Collectionner les timbres,** Yves Taschereau

* **Comment acheter et vendre sa maison,** Lucile Brisebois

* **Comment aménager une salle de séjour**

* **Comment tirer le maximum d'une mini-calculatrice,** Henry Mullish

* **Comment amuser nos enfants,** Louis Stanké

* **Conseils aux inventeurs,** Raymond-A. Robic

* **Construire sa maison en bois rustique,** D. Mann et R. Skinulis

* **Crochet jacquard, Le,** Brigitte Thérien

* **Cuir, Le,** L. Saint-Hilaire, W. Vogt

Danse disco, La, Jack et Kathleen Villani
* **Décapage, rembourrage et finition des meubles,** Bricolage maison
* **Décoration intérieure, La,** Bricolage maison
* **Dentelle, La,** Andrée-Anne de Sève
* **Dictionnaire des affaires,** Wilfrid Lebel

Dictionnaire des mots croisés. Noms communs, Paul Lasnier

Dictionnaire des mots croisés. Noms propres, Piquette, Lasnier et Gauthier

* **Dictionnaire économique et financier,** Eugène Lafond

Dictionnaire raisonné des mots croisés, Jacqueline Charron

* **Distractions mathématiques,** Charles E. Jean
* **Emploi idéal en 4 minutes, L',** Geoffrey Lalonde
* **Entretenir et embellir sa maison**
* **Entretien et réparation de la maison**
* **Étiquette du mariage, L',** Fortin-Jacques-St-Denis-Farley
* **Fabriquer soi-même des meubles**
* **Fins de partie aux dames,** H. Tranquille, G. Lefebvre
* **Fléché, Le,** F. Bourret, L. Lavigne
* **Fourrure, La,** Caroline Labelle
* **Gagster,** Claude Landré
* **Guide complet de la couture, Le,** Lise Chartier
* **Guide du propriétaire et du locataire,** M. Bolduc, M. Lavigne, J. Giroux
* **Guide du véhicule de loisir,** Daniel Héraud

Guitare, La, Peter Collins

* **Hypnotisme, L',** Jean Manolesco

Jeu de la carte et ses techniques, Le, Charles-A. Durand

* **Jeux de cartes, Les,** George F. Hervey

Jeux de dés, Les, Skip Frey

* **Jeux de société,** Louis Stanké

Lignes de la main, Les, Louis Stanké

* **Loi et vos droits, La,** Me Paul-Emile Marchand
* **Magie et tours de passe-passe,** Ian Adair
* **Magie par la science, La,** Walter B. Gibson

Manuel de pilotage

* **Massage, Le,** Byron Scott
* **Mécanique de mon auto, La,** Time-Life Book
* **Menuiserie: les notions de base, La**
* **Météo, La,** Alcide Ouellet
* **Meubles, Les**
* **Nature et l'artisanat, La,** Soeur Pauline Roy

Noeuds, Les, George Russel Shaw

* **Outils électriques: quand et comment les utiliser, Les**
* **Outils manuels: quand et comment les utiliser, Les**

Ouverture aux échecs, Camille Coudari

* **Petit manuel de la femme au travail,** Lise Cardinal
* **Petits appareils électriques, Les**
* **Piscines, barbecues et patios**
* **Poids et mesures calcul rapide,** Louis Stanké
* **Races de chats, chats de race,** Christian d'Orangeville
* **Races de chiens, chiens de race,** Christian d'Orangeville
* **Règles d'or de la vente, Les,** George N. Kahn
* **Savoir-vivre d'aujourd'hui, Le,** Marcelle Fortin-Jacques
* **Savoir-vivre,** Nicole Germain
* **Scrabble,** Daniel Gallez
* **Secrétaire bilingue, Le/la,** Wilfrid Lebel
* **Squash, Le,** Jim Rowland
* **Tapisserie, La,** T.M. Perrier, N.B. Langlois

Taxidermie, La, Jean Labrie

* **Tenir maison,** Françoise Gaudet-Smet
* **Terre cuite,** Robert Fortier
* **Tout sur le macramé,** Virginia I. Harvey
* **Trouvailles de Clémence, Les,** Clémence Desrochers
* **Trucs ménagers, 2001,** Lucille Godin
* **Vive la compagnie,** Pierre Daigneault
* **Vivre, c'est vendre,** Jean-Marc Chaput
* **Vitrail, Le,** Claude Bettinger
* **Voir clair aux dames,** H. Tranquille, G. Lefebvre

Voir clair aux échecs, Henri Tranquille

Votre avenir par les cartes, Louis Stanké

* **Votre discothèque,** Paul Roussel

PHOTOGRAPHIE — CINÉMA

8/super 8/16, André Lafrance
Apprenez la photographie avec Antoine Desilets, Antoine Desilets
Apprendre la photo de sport, Denis Brodeur
* **Chaînes stéréophoniques, Les,** Gilles Poirier
* **Chasse photographique, La,** Louis-Philippe Coiteux
Ciné-guide, André Lafrance
Découvrez le monde merveilleux de la photographie, Antoine Desilets
Je développe mes photos, Antoine Desilets
Je prends des photos, Antoine Desilets
Photo à la portée de tous, La, Antoine Desilets
Photo de A à Z, La, Desilets, Coiteux, Gariépy
Photo-guide, Antoine Desilets
Photo reportage, Alain Renaud
Technique de la photo, La, Antoine Desilets
Vidéo et super-8, André A. Lafrance et Serge Shanks

PLANTES — JARDINAGE *

Arbres, haies et arbustes, Paul Pouliot
Culture des fleurs, des fruits et des légumes, La
Dessiner et aménager son terrain
Guide complet du jardinage, Le, Charles L. Wilson
Jardinage, Le, Paul Pouliot
Jardin potager, Le — La p'tite ferme, Jean-Claude Trait
Je décore avec des fleurs, Mimi Bassili
Plantes d'intérieur, Les, Paul Pouliot
Techniques du jardinage, Les, Paul Pouliot
Terrariums, Les, Ken Kayatta et Steven Schmidt
Votre pelouse, Paul Pouliot

PSYCHOLOGIE — ÉDUCATION

* **Âge démasqué, L',** Hubert de Ravinel
Aider son enfant en maternelle et en 1ère année, Louise Pedneault-Pontbriand
Aidez votre enfant à lire et à écrire, Louise Doyon-Richard
Amour de l'exigence à la préférence, L', Lucien Auger
* **Caractères et tempéraments,** Claude-Gérard Sarrazin
* **Caractères par l'interprétation des visages, Les,** Louis Stanké
Comment animer un groupe, Collaboration
Comment déborder d'énergie, Jean-Paul Simard
* **Comment vaincre la gêne et la timidité,** René-Salvator Catta
Communication dans le couple, La, Luc Granger
Communication et épanouissement personnel, Lucien Auger
* **Complexes et psychanalyse,** Pierre Valinieff
Contact, Léonard et Nathalie Zunin
* **Cours de psychologie populaire,** Fernand Cantin
Découvrez votre enfant par ses jeux, Didier Calvet
* **Dépression nerveuse, La,** En collaboration
Développement psychomoteur du bébé, Le, Didier Calvet
* **Développez votre personnalité, vous réussirez,** Sylvain Brind'Amour
Douze premiers mois de mon enfant, Les, Frank Caplan
* **Dynamique des groupes,** J.-M. Aubry, Y. Saint-Arnaud
Être soi-même, Dorothy Corkille Briggs
Facteur chance, Le, Max Gunther
* **Femme après 30 ans, La,** Nicole Germain

* **Futur père,** Yvette Pratte-Marchessault
Hatha-yoga pour tous, Suzanne Piuze
Hypnose, bluff ou réalité? Alain Marillac
Interprétez vos rêves, Louis Stanké
J'aime, Yves Saint-Arnaud
Jouons avec les lettres, Louise Doyon-Richard
* **Langage de votre enfant, Le,** Professeur Claude Langevin
* **Maladies psychosomatiques, Les,** Dr Roger Foisy
* **Maman et son nouveau-né, La,** Trude Sekely
* **Méditation transcendantale, La,** Jack Forem
Mise en forme psychologique, La, Richard Corriere et Joseph Hart
Naissance apprivoisée, Une, Edith Fournier et Michel Moreau
Personne humaine, La, Yves Saint-Arnaud
Première impression, La, Chris L. Kleinke
Préparez votre enfant à l'école, Louise Doyon-Richard
* **Relaxation sensorielle,** Pierre Gravel
** **Rythmes de votre corps, Les,** Lee Weston
S'affirmer et communiquer, Jean-Marie Boisvert et Madeleine Beaudry
S'aider soi-même, Lucien Auger
Savoir organiser: savoir décider, Gérald Lefebvre
Savoir relaxer pour combattre le stress, Dr Edmund Jacobson
Se comprendre soi-même, Collaboration
Se connaître soi-même, Gérard Artaud
* **Séparation du couple, La,** Dr Robert S. Weiss
Vaincre ses peurs, Lucien Auger
Vivre avec sa tête ou avec son coeur, Lucien Auger
* **Volonté, l'attention, la mémoire, La,** Robert Tocquet
* **Vos mains, miroir de la personnalité,** Pascale Maby
Vouloir c'est pouvoir, Raymond Hull
* **Yoga, corps et pensée,** Bruno Leclercq
* **Yoga des sphères, Le,** Bruno Leclercq

SEXOLOGIE

* **Adolescent veut savoir, L',** Dr Lionel Gendron
* **Adolescente veut savoir, L',** Dr Lionel Gendron
* **Amour après 50 ans, L',** Dr Lionel Gendron
Avortement et contraception, Dr Henry Morgentaler
* **Déviations sexuelles, Les,** Dr Yvan Léger
* **Fais voir!** Dr Fleischhauer-Hardt
Femme enceinte et la sexualité, La, Elisabeth Bing, Libby Colman
* **Femme et le sexe, La,** Dr Lionel Gendron
* **Helga,** Eric F. Bender
Guide gynécologique de la femme moderne, Le, Dr Sheldon H. Sheny
* **Homme et l'art érotique, L',** Dr Lionel Gendron
* **Maladies transmises par relations sexuelles, Les,** Dr Lionel Gendron
* **Mariée veut savoir, La,** Dr Lionel Gendron
* **Ménopause, La,** Dr Lionel Gendron
* **Merveilleuse histoire de la naissance, La,** Dr Lionel Gendron
* **Qu'est-ce qu'un homme?,** Dr Lionel Gendron
* **Quel est votre quotient psycho-sexuel?,** Dr Lionel Gendron
* **Sexualité, La,** Dr Lionel Gendron
Sexualité du jeune adolescent, La, Dr Lionel Gendron
Sexe au féminin, Le, Carmen Kerr
Yoga sexe, S. Piuze et Dr L. Gendron

SPORTS

* **ABC du hockey, L',** Howie Meeker
Aïkido — au-delà de l'agressivité, M. N.D. Villadorata et P. Grisard
* **Apprenez à patiner,** Gaston Marcotte
Armes de chasse, Les, Charles Petit-Martinon

Badminton, Le, Jean Corbeil
Bicyclette, La, Jean Corbeil
Canadiens, nos glorieux champions, Les, D. Brodeur et Y. Pedneault
Canoé-kayak, Wolf Ruck
Carte et boussole, Bjorn Kjellstrom
* Comment se sortir du trou au golf, L. Brien et J. Barrette
Conditionnement physique, Le, Chevalier, Laferrière et Bergeron
* Corrigez vos défauts au golf, Yves Bergeron
En forme après 50 ans, Trude Sekeley
* En superforme, Dr Pierre Gravel, D.C.
* Entraînement par les poids et haltères, Frank Ryan
* Exercices pour rester jeune, Trude Sekely
Exercices pour toi et moi, Joanne Dussault-Corbeil
* Femme et le karaté samouraï, La, Roger Lesourd
* Français au football, Le, Ligue canadienne de football
* Guide du judo (technique au sol), Le, Louis Arpin
* Guide du judo (technique debout), Le, Louis Arpin
Guide du self-defense, Le, Louis Arpin
* Guide du trappeur, Paul Provencher
* Initiation à la plongée sous-marine, René Goblot
* J'apprends à nager, Régent LaCoursière
* Jeu défensif au hockey, Le, Howie Meeker
Jogging, Le, Richard Chevalier
* Jouez gagnant au golf, Luc Brien et Jacques Barrette
Karaté, Le, Yoshinao Nanbu
* Kung-fu, Le, Roger Lesourd
* Lutte olympique, La, Marcel Sauvé, Ronald Ricci
* Marche, La, Jean-François Pronovost
* Maurice Richard, l'idole d'un peuple, Jean-Marie Pellerin
* Mon coup de patin, le secret du hockey, John Wild
* Nadia, Denis Brodeur et Benoît Aubin
* Natation de compétition, La, Régent LaCoursière
* Navigation de plaisance au Québec, La, R. Desjardins et A. Ledoux
* Observations sur les insectes, Mes, Paul Provencher
* Observations sur les mammifères, Mes, Paul Provencher
* Observations sur les oiseaux, Mes, Paul Provencher
* Observations sur les poissons, Mes, Paul Provencher
* Pêche à la mouche, La, Serge Marleau
* Pêche au Québec, La, Michel Chamberland
* Pistes de ski de fond au Québec, Les, C. Veilleux et B. Prévost
Programme XBX de l'Aviation royale du Canada
* Puissance au centre, Jean Béliveau, Hugh Hood
* Racquetball, Le, Jean Corbeil
** Randonnée pédestre, La, Jean-François Pronovost
* Raquette, La, W. Osgood et L. Hurley
* Secrets du baseball, Les, Claude Raymond et Jacques Doucet
* Ski, Le, Willy Schaffler et Erza Bowen
* Ski de fond, Le, John Caldwell
* Ski nautique, Le, G. Athans Jr et C. Ward
* Squash, Le, Jean Corbeil
* Stratégie au hockey, La, John Meagher
* Surhommes du sport, Les, Maurice Desjardins
* Techniques du billard, Pierre Morin
* Techniques du golf, Luc Brien et Jacques Barrette
* Techniques du hockey en U.R.S.S., André Ruel et Guy Dyotte
Techniques du tennis, Ellwanger
* Tous les secrets de la chasse, Michel Chamberland
* Troisième retrait, Le, C. Raymond et M. Gaudette
* Vivre en forêt, Paul Provencher
* Vivre en plein air camping-caravaning, Pierre Gingras
* Voie du guerrier, La, Massimo N. di Villadorata
* Voile, La, Nick Kebedgy